U0064653

劉福春・李怡 主編

民國文學珍稀文獻集成

第四輯

新詩舊集影印叢編　第124冊

【長虹卷】

時代的先驅

上海：光華書局 1928 年 2 月初版

長虹 著

花木蘭文化事業有限公司

國家圖書館出版品預行編目資料

時代的先驅／長虹 著 -- 初版 -- 新北市：花木蘭文化事業有限公司，
2023〔民 112〕
146 面；19×26 公分
（民國文學珍稀文獻集成・第四輯・新詩舊集影印叢編 第 124 冊）
ISBN 978-626-344-144-6（全套：精裝）
831.8 111021633

ISBN-978-626-344-144-6

民國文學珍稀文獻集成・第四輯・新詩舊集影印叢編（121-160 冊）
第 124 冊

時代的先驅

著　者　長 虹
主　編　劉福春、李怡
企　劃　四川大學中國詩歌研究院
　　　　四川大學大文學學派
總 編 輯　杜潔祥
副總編輯　楊嘉樂
編輯主任　許郁翎
編　輯　張雅淋、潘玟靜　美術編輯　陳逸婷
出　版　花木蘭文化事業有限公司
發 行 人　高小娟
聯絡地址　235 新北市中和區中安街七二號十三樓
　　　　電話：02-2923-1455 ／傳真：02-2923-1452
網　址　http://www.huamulan.tw 信箱 service@huamulans.com
印　刷　普羅文化出版廣告事業
初　版　2023 年 3 月
定　價　第四輯 121-160 冊（精裝）新台幣 100,000 元　

時代的先驅

長虹 著

光華書局（上海）一九二八年二月初版。原書三十二開。
影印所用底本版權頁缺。

狂飈叢書
時代的先驅
長虹作
上海
光華書局印行
1928

目　　錄

上　篇

下篇

上　篇

論人類的行爲

人類這一個東西，是不會有人否認牠的存在的，人類的行爲是同人類的歷史同樣悠久，也是不曾有人否認的。現在我們的問題是：什麼是人類的行爲呢？這便有許多不同的答案了。

比如，我們舉出犯罪的行爲這一個問題來討論一下。犯罪究竟是不是人類的行爲呢？有許多人，如法官，律師，道德家，甚而至於犯罪的人，確乎都以爲犯罪是人類的行爲。但是，我們如要細細地一考查時，我們便要懷疑了。其他如政治，宗教，法律，道德，哲學之類，我們如要細細地一考查時，我們便會發生同樣的懷疑。

我們承認吃飯是人類的行爲，因爲我們看見所有的人類都需要吃飯。我們也不反對性交是人類的行爲，因爲人類如斷絕了性交時，那人類也便要斷絕了。從此我們可以知道，那所謂人類的行爲者，一定是人人都可以看見的，所有的人類都在不能離卻的那種行爲。

但是，我們回頭再看一下那犯罪時，便不是那個樣式了。我們看見那些犯罪的，只是某一部分人，而別一方面，却又有那些不特不犯罪而且還審判這種行爲的人。而且我們都知道這犯罪不特不是所有的人類都不能斷絕了的行爲，反而是，如其人類都犯了罪時，那還會成爲一個神奇的無法處理的大問題呢！而這個事件，又顯然自有人類以來誰都沒有看見過。

然而，從有歷史以來，便時常有一些人偏斷定犯罪是人類的行爲，製造出法律，殺人而使人不敢反抗，而且使那些沒有犯過罪的人也都以爲這是一件必須的事情。

我們如從這裏討論下去，我們便會發見世間好像眞有許多許多不可解答的謎，而卻久已被人們倒認爲是眞事也者。所以我們現在最好是暫且停在這裏，再看一看別一方面是什麼情形。

我們看見世間有一部分人是常以說明人類的行爲爲責任的，如宗教家，道德家，哲學家，政治法律學家都是。我們又看見世間有一部分人是並不說明，却在實際上去管轄人類的行爲，如君主，官僚，軍人，法官，紳士，警察之類。別一方面，我們又看見最大多數的人們却是除了吃飯性交一類的事情外便都不大理會，科學家們又都埋頭於那些關於經濟的，性的發明，藝術家們則又常在氣憤地咒詛那所謂强權者。

那些給人類的行爲以說明者呢，一個人有一個人的說法，而大抵都寫在書本上，但對於實際的人類的行爲却都沒有很大的關係。第一，凡是著書的人，大抵都不是有實權的人。第二，我們沒有看見過哲學家在戰線上同兵士討論過人類應不應該戰爭的問題。然而我們可以知道，這些人們的說明大抵都是錯的；因爲沒有實際的人類的行爲給他們證明。這便討論到人類的思想史那一個問題上了，可是我們現在還顧不到討論這個。

那一部分管轄人類的行爲的人們又是怎麼一回事呢？他們只是管轄，却不加以說明，所以這純然是一個實際的問題。同他們討論什麼是人類的行爲，他們照例是不睬理的。然因此，我們也便知道他們是錯的，因爲他們說不上一點道理來。而且，連管轄這一件事也不是人類的行爲，因爲牠正同犯罪一樣，如其所有的人類都要管轄時，那便會成爲一個神奇的無法處理的大問題，而這個問題又一向沒有發生過。

從來的藝術家們呢，又都是含怨而生，飲恨而沒，我們無從追問他們去了。而且，他們生前也有偶爾談一點道理的，但大致都同哲學家差不多。

於是，我們便談到科學上來。我們現在還沒有人能夠否認火車飛機的存在的。凡是能夠享受科學的供給的人，都不反對享受牠的供給。所以科學總是比較可以靠得住的了，我們現在先來談一談科學。

可是，現在的所謂科學，也有些鬧得亂七八糟了，當科學得了勢時，便什麼都變成科學。所以最要緊的，是要先把那所謂科學者分開兩類，而去掉那些科學假冒者，我們所以相信科學者，是因爲牠有實際的效用，反之，那些所謂政治，哲學等等，雖然也套了科學的形式，然而牠們沒有對於人類的行爲發生關係，所以牠們仍然是思想罷了。我們試先把科學分成兩類：——

1. 實際的科學，如物理學，化學，生物學，地質學，人類學，及經濟學與心理學，兩性學的一部分。

2. 理論的科學，如人生哲學，哲學，社會學，歷史學，及政治經濟學等。

那些所謂理論科學家們終日在研究善惡，人生的意義，社會改良之類的問題，然而窮人捱餓的還是捱餓了搶一塊麵包吃仍然要犯罪，這裏邊沒有看見過什麼慈善的行爲，更無論乎他們會告訴那些窮人們一個人生的意義。只就這一點說，連人類吃飯的行爲都說不出一個道理來，那還要談道德說仁義做什麽？那豈不是一種玩物喪志的玩意嗎？反之，那些所謂不談人生的實際科學家，倒給我們製造出好多有用的東西來，與我們的吃飯，性交，生死等有極大的功用的東西。到這裏，我們便要想了：科學沒有談人生問題，但牠却解決了不少的人生問題；那些解決人生問題的人們，却越把人生弄得紊亂了。所以，我們現在要想明白人類的行為，我們必須把那些理論的科學即假科學一齊丟開，而向那實際的科學即眞科學去求我們的解答。

然而，科學既然是實際的了，但牠為什麽直到現在還沒有告訴我們那個實際的人類的行為是什麽，而一定要等候我們去領教牠呢？這自然是一個應有的疑問，但這個却並不難於解答。我們試分開幾方面說。

一，我們先看一下科學發達的歷史。因為科學需要的是客觀的觀察，但人類困惑在自己各別的生活裏，偏不能夠客觀自己的生活，所以科學最先發起的倒反是那些離人生最遠的天文學，數學之類。而人生的問題，却久被哲學一類東西壟斷了去。到後來，科學發明了機械，於是科學便同人生漸漸接近起來，人們也知道了科學的本領，所以生物學，人類學也便逐漸都成立了。別一方面，那些哲學家們雖然也曾受了科學不少的打擊，然而他們也覺到科學的不可侮，所以他們也都假冒科學去裝潢他們那一向視爲專利品的人生的研究。從這裏便產生出社會學，經濟學，心理學及什麼什麼主義的新哲學等來。科學一時也爲這股烏煙瘴氣所蒙蔽了，所以眞的關於人類的行爲的科學也便久久沒有出現。

二，科學雖然沒有直接告訴過我們什麼是人類的行爲，然而牠却暗示了我們極好的解答。牠蔑視那些關於人生問題的種種討論，而只是埋頭於自己的發明，這便是暗示牠不認爲那些無謂的討論會與人類的行爲有關係。牠的所有的發明沒有不是對於人類的行爲有極大的用處的。這便可以知道牠眞是懂得什麼是人類的行爲的。由牠的發明在人類的生活史上造出一個顯然與從前不同的時代來，一個大紊亂或大覺醒的時代來，這還不夠告訴我們，牠沒有用說話，然而却用事實去給人類的行爲做了一些很好的解說嗎？

三，科學在說明自然，而人類是自然中之一。科學在說明生物，而人類是生物中之一。科學在說明地球，而人類則住在地球的上面。人類學呢，則牠所說明的範圍雖然還很狹隘，然而牠之在說明人類，更是無須乎特提的了。從這些方面，科學雖然沒有從正面去說明人類的行爲，然而牠已經爲人類的行爲做過不少最根本的貢獻了。

四，最近的科學的趨勢，已經表示了牠不能夠再用傍觀的態度去對人生問題了。牠已經開始了牠的一次新的探險。最先是從馬克司所提出來的經濟學，但馬克司因陷入黑格爾的辨證法的迷魂陣去，以致失敗了。然而，探險不是一次可以成功的。我們在近來的性的，經濟的研究上，總時常可以看見這些新的足跡。而第一個有最顯明的步驟的，則是那個心理學上行爲主義的首倡者 Watson. 我們並不以爲行爲主義已經建設了一個完全科學的心理學，反之，我倒以爲牠正在向着心理學的破滅那一條路上進行着呢！然而，牠所提出的那個態度，那個完全的科學的態度，牠已經給與我們關於人類的行爲的研究上以一個極大的，極大的閃光。

然而，什麼是人類的行爲呢？這一個問題直到現在仍然沒有一個解答。世界是那樣混亂着，中國是那樣混亂着，人們於是都說那是因爲帝國主義與軍閥的緣故了，然而，爲什麼而發生帝國主義與軍閥呢？帝國主義者同軍閥，不也都是同樣的人類，他們的行爲不也都是同樣的人類的行爲嗎？所以，在人類的行爲沒有得到明白的解說之前，則世界也將仍然那樣混亂着，中國也將仍然那樣混亂着，因爲那混亂正是那說不明白的人類的行爲的本身呵！

行爲主義者研究心理學的最好的態度是，他把人類完全看做一個機械。他不相信意識，他並且不相信心，而他在研究人類的行爲，他解說人類的行爲，完全應用着刺激與反應。他不要理論，而只取決於實驗。他說，心理是人類的潛伏的行爲，是人類的全身的動作，而取消了那個神秘的思索之官腦筋。

但是，什麼是潛伏的行爲呢？潛伏有什麼確定的界限？如其看不見的便是潛伏，則行爲的心理學發達之後，那些潛伏的也都會靠了實驗而變爲顯明的了。再則，潛伏如沒有確定的界限，則心理學也便沒有確定的界限。再則，行爲既然是全身的動作，則我們研究這個動作好了，我們無須乎要强分出一部分潛伏的來而叫牠做心理。再則，既承認心理，則仍然因襲於舊的迷信，而謂人類的行爲可以有內外之分，然而，除外外，什麼是內呢？所以，我以爲，行爲主義的心理學將要歸於失敗，否則，牠將要向着別一個方向發展，牠將要拋棄了心理學，而去研究人類的行爲去了。

我們既然知道了人類並不是什麼上帝的兒子，而只是生物界的一種生物，則我們研究人類的時候，老實當牠做生物研究好了。心理學是宗教與哲學的產物，牠在科學上是沒有存在的理由的。動物心理學，是人類心理學的一個支派，實則動物只有牠的動作，而沒有什麼心理。動物心理學家研究動物心理學的時候，其實也只是研究動物的動作，不過他們因爲迷信心理是存在的緣故，所以他們自欺是用以研究動物的心理罷了。然而，既然研究的是動作，則如何而能證明心理是存在的呢？我們對於人類，也將是這樣，我們不再相信人類是有心理的，我們將要直接地去研究人類的行爲了。

什麼是人類的行爲呢？行爲主義者說，行爲是刺激的反應。但是，當我們去看人類的行爲的時候，我們看不見心理的行爲。我們所能夠看見的行爲是，經濟的行爲同性的行爲。我們看見人類如沒有經濟的反應的時候，則會失了生存；如沒有性的反應的時候，則會失了生殖。我們還看見人類有教育的行爲，否則，人類中的那些年長的便不能夠把他們的生活的方法告訴那些年幼的。我們還看見人類有藝術的行爲，因爲他們都有那種叫做"情緒"的動作。我們還看見人類有科學的行爲，雖然他們還沒有人人都成了科學家，然而他們都時常有新的生活的方法的發見。這五種行爲，都是所有的人類都不能夠斷結了的。除此以外，我們還沒有看見其他。

我們再回頭看一下那犯罪時，我們便越容易明白那犯罪決不是人類的行爲了，因爲牠同我們上面所說的行爲不一樣。推而至於法律，政治，哲學，宗教，道德，警察之類，也便都不是人類的行爲了。但是，如其這些在實際上不是人類的行爲時，則牠們又如何而發生，牠們又是什麽呢？不然！牠們在實際上確乎是人類的行爲，因爲我們看見人類中的某一部分確乎有那些行爲。然而牠們不是普遍的，然而人類的行爲却是普遍的，所以我們將要疑問了：如其我們看見這些行爲不是由於我們的錯覺時，則這些行爲必定是被人們叫錯了吧？

我們暫且丟開這些討論，回到我們的實際生活來好了。比如，我們現在是在一個鄉村中的家庭裏，我們會看見些什麽呢？我們將要看見一個農夫同他的妻子同他們的一個孩子。我們看見那個農夫終日在田地裏勞作，他的妻子在家裏做飯，縫衣，照料家務。如其他們的孩子是一個笨東西時，他很早地便帶他到田地裏勞作去了，如其他要偸懶時，則他便會捱打。但是，如其那是個聰明的孩子時，則他們便把他送到學校裏希望他將來經商或者讀書給他們賺較多的錢。如其再過幾年，這個孩子很會讀書，而他們又有剩餘的錢供給他時，則他們便決定了送他升學，他們犧牲了目前的寬裕，希望他將來做官或當教員給他們賺回更多的錢來。當孩子臨行出門的時候他們的惟一的囑咐是：少買書，多認識人。這便決定了這個孩子的命運了。如其他將來能賺錢時，則他是一個好的孩子。如其他不能賺錢時，則他是一個壞的孩子。我們從此便可以知道，經商也罷，種地也罷，讀書也罷，原來都是一樣的，都一樣是經濟的行為。

我們在古書上或者從學者們的嘴裏常可以看見"求學是為治國平天下"或者聽見"讀書是為救國"一類的說法。然而"說法"顯然不必是對的。我們最相信的是事實，因為事實不輕易說謊。如其事實是這樣，而說法纔不是這樣時，則我們馬上可以否定那說法。在事實上，沒有一個讀書人不是因為經濟的原因去求學的，無論他讀的是中國書或外國書，他是復古派或革新派，而讀書人之可貴者，也只是因為他所以做官，因為他可以賺較多的錢。在比較爽快的農民口中，我們可以得到這樣的批評：做官的是好的讀書人。在學校裏或在職業中，我們也可以看見那些最大多數的讀書人除賺錢外更不談什麼學問的事，雖然我們平常都不滿意他們。

買書是不好的行為，因為牠是浪費的行為，我們在普通的家庭中對於他們的孩子的批評上可以見出這實在是一個輿論。這是同所謂求學者表面上是如何矛盾呵！但是，如其我們知道了讀書是經濟的行爲時，則這正是一個當然的事實 ，沒有一點矛盾存在了 。在比較上等的家庭呢，則買書倒頗可通融一些了，因爲他們有一個較高的目的。他們知道做法官是必須讀些法律書的，做政客是必須讀些政治書的，當國文教員是必須讀些古文的。這便證明書只是一種資本，他們有希望從這裏收回較大的利息來。我們也知道普通很世俗的官僚如何談起話來比一個小學教員總知書識禮者，是什麽緣故了。在普通的輿論上，這一類讀書人，可以說是模範的讀書人，正如一個銀行老板是模範的商人，勤勞的農夫是模範的農人一樣。

在實際上，讀書和求學不但沒有關聯，牠們且幾乎成爲相反的行爲了。當那許多讀書人中出現了一兩個眞的求學的人時，那一兩個人會如何受盡父兄的責駡，鄉鄰的非笑，及他們的同學的輕視，及社會的壓迫呵！尋常所叫做書癡的，那不便是因爲他不通世故，不能賺錢的緣故嗎？但是 ，如其這一個書癡一旦書運亨通，如蘇秦掛了六國的相印時，則他又將成爲一個最受人尊敬的讀書人呢！至於那種完全鄙視名利，而忍苦耐勞，而獻身於科學的發明或藝術的創作者，則在中國寥寥無幾，所以這種人反倒正是讀書人中的變種。

到這裏，我們可以再回頭討論一下那個犯罪，我們將要知道那犯罪所以發生的一個原因了。因爲有一些讀書人，他們爲了賺錢而讀書，他們讀了法律書去做了法官，如其他們不承認犯罪是人類的行爲時，則他們的職業不是要失掉了嗎?我們可以知道所謂犯罪者，便是因爲有一部分人用了審判去做他的經濟行爲，所以他要編派某一部分人的行爲是犯罪，把來招呼他的買賣的。我們可以知道犯罪的一面完全是經濟的行爲，而不是眞有什麽犯罪。

我們現在是有兩類人：一類人靠了勞動去吃飯，如農人，工人；一類人靠了賺錢去吃飯，如士人，商人，而就中如不勞動的士人，反得到最高等的經濟的生活。他們爲什麽能夠這樣便宜呢?因爲他們說他們在治人，這是一件神聖的玩意。然而在我們看來，則那只是一種偸懶的，貪鄙的，狡詐的經濟行爲而已！因爲世間的糧食沒有那樣多，所以一面有不勞動的富人，一面自然有勞動的窮人，甚至得不到勞動的窮人了。然而人是可以窮的，却不是可以不吃飯的，於是那些得不到飯吃的人便自然而然地出於偸竊。而法官便名之曰犯罪，而去招待他們的主顧。然而，在實際上，則所謂偸竊者，仍然是一種不得不如此的經濟的行爲。我們從此可以知道了那犯罪的別一個原因，而所謂犯罪者其實是沒有那麼一回事。

在這裏，我已經說明人類的行爲是人類所不能斷絕了的行爲，又已經證明犯罪與法律之不是人類的行爲，而只是一種變態的經濟的行爲。其他，如道德，政治，哲學，以及其他一切特殊的行爲，究竟都是些什麼行爲，以及人類生活上的紊亂的原因等問題，我將順着述說上的便利在以後一一解答。

論　雜　交

人可以反對事實，但事實是不妥協的，不能因人的反對而自行取消。而牠的反對者，也終於會屈伏在牠的下面。人可以反對洪水猛獸，然而洪水終曾發生過，然而猛獸終於到現在還健在着。

自從不幸的性出生以來，始則流浪於刼奪，繼則禁錮於夫婦，終則解放於戀愛。然不幸的性則始終仍其不幸也！

玄學的戀愛論者可以害羞了吧！除性的自身的反抗之外，誰還配做牠的解放者呢？

人爲什麼那樣不懷好意，那樣昏憒，那樣朝三暮四老想把這個不幸的性壓服在他的小的幻想裏呢？堅壁清野主義不是自始至終便是一個夢而自始至終繼續其失敗的歷史嗎？

性的眞實的個性只有牠自己能夠而且願意表現出來。是的，牠已經這樣做了，那便是雜交。刼奪可以讓位於夫婦，夫婦可以讓位於戀愛：人的圈套可以用人的圈套去欺騙。但性是不妥協的，沒有一個時期牠不在窮兇極惡去擣毀那人爲的自謂善良的假面具而顯示出牠的眞實來。這眞是足以使三個敵派同聚一堂而共嘆曰人心不古的呵！

是的，性不知道什麼叫做古今，性沒有那個迷惑的時代觀念，性所知道的只是：還我性來！性無時不在倔强地說："我有我的眞理！"

人類所有的文化的歷史，我們大致可以把牠切成三個時期。一，發昏時期；二，假乾淨時期；三，自欺欺人時期。這三個時期，牠們的區別都很顯明，在各樣生活的方式上都各具牠的特殊的色彩。在性的生活上的便是：刼奪時期；婚制時期；戀愛神聖或靈肉一致時期。第三個時期是現代歐洲最新派的思想家們所代表的，中國則還在第二個時期。

假乾淨的虛僞，近年中的出版物上已經談到過一些，我想暫且先把牠放在一邊。第三派是號稱現代最文明的性的解放論者的主張，所以我現在先把牠分析一下，我們看一看究竟所謂靈肉一致者是怎麼一會事。

這一派思想，是從反抗假乾淨時期的古典主義出發的。他們因爲不能滿意於死板的婚姻制度，所以他們標出戀愛一個新名目來以號召一切。但他們起先雖然知道去反抗婚制，然他們不自覺地還在受着假乾淨的欺騙，他們仍然對於那個眞實的性不去理牠，他們以爲戀愛是純潔的，詩的。普通所說的羅曼派和自然派便都是這樣。這自然是辦不到的事情。所以羅曼派的人們到他們的主張被那個討厭的性搗毀了的時候，他們便無中生有地自嘆墮落起來。自然派比較是勇敢些了，敢於揭起戀愛的面幕去看下面所藏着的眞實了，但到他們看見時，他們却以爲他們是看見人生的醜惡。假乾淨的面目還多麼活現呵！

於是那個最新的一派便代之而起。他們已經覺悟了人的力量的薄弱，他們再不敢藐視那性了。然而他們始終還是父親的孩子，他們始終不肯毅然把那個什麼靈來丟開，於是他們牽強附會而折中爲靈肉一致。

這時我們可以問了：什麼是靈肉一致呢？我們且先問：什麼是靈肉呢？答者曰：靈是戀愛。我們再問：什麼是戀愛呢？答者曰：戀愛是精神作用。我們無須再往下問了，因爲我們已經得到滿足的答復，那便是：靈是靈。

這時，我們可以問了：什麼是靈肉一致呢？靈是可以離肉而獨立存在的嗎？如其是，則如何可以同肉一致呢？如其是，則靈在什麼地方呢？如其不是，則那並不是什麽靈，而只是性的表現罷了。則牠如何能同肉一致呢？

在別一方面，我們可以證明性是獨立存在的。是的，惟性而已！惟肉而已！所謂戀愛者，只是性的表現而已！

性的生活的需要，是人都可以感覺到的。但是，人知道性的需要而又常竭力要躲避開牠，人常在竭力要剝奪他的生活上的權利，他常以使自己做成一個生活上的貧乏者和殘廢者而自認爲英雄的行爲。這種可怕的貧乏和殘 廢對於我們 的文化有過多 麼巨大 的損失呵！

性的生活已經墜落到不堪設想的地步了，然這個墜落，還被人斤斤焉自命得意地保存着。我們沒有一個人享受過完滿的性的生活，沒有一個！我們所有的大抵出不了這三個方式：苟安，放縱和獨身。而這三者又都是同樣的貧乏和殘廢。所不同的，只是從牠的第二個方式，放縱，我們可以比較顯明地看見性的眞面目的一扇影片罷了。

先拿獨身來說幾句話。這大抵是一些所謂天才的人們和窮而安分者所主張或實行的。屬於自然科學家的，暫且不用管他，哲學家，藝術家，有不少是過着獨身生活的，他們的結局是什麼呵？獨身生活對於他們曾有過什麼偉大的功績嗎？

哲學和藝術，都是直接建築在生活上的，而性又是生活的一個重要的部分。人只是人，不是一個絕對的邏輯或形而上的照像機。人想明白生活，第一是要生活那生活。而一部的殘缺又不只是一部的殘缺，而是能夠使那全部全盤都紊亂了的。所謂智慧和感情者，都是附屬於生活的，哲學家和藝術家失敗於生活而想成功於生活的附屬，而想用牠的附屬去統治去武斷那生活牠自己，除了愚妄之外，這還有什麼意義呢？宜乎我們的哲學和藝術家都生活在他們的夢裏，驕傲在他們的夢裏，死滅在他們的夢裏，而且失敗在他們的夢裏呵！

至於男性的天才大抵不能明瞭女性的眞象，那些天才一到面對着女性時他們如何立刻變成一個低能兒的事實，更是我們不問可以知道的了。

這便是爲什麼性的缺乏使叔本華，尼采失陷到女性抹殺論，厭世主義和超人主義的緣故。同樣，以性的不規則的變遷做主帥，命令了斯特零堡在他的作品上描寫出女性的醜惡來。而托爾斯泰又如何經過了那三個階級，放縱，苟安和獨身而完成了他的矛盾的悲劇。

性的壓迫使天才們走入絕地。爲什麼天才們還要過他們的獨身生活呢?因爲他們輕視性而重視戀愛。他們是戀愛的神化論者，他們以爲戀愛有特殊的神秘的力量，是人生的根本的創造。當他們感到求伴侶的時候，他們不去看一看什麼是性，却去看那些女子，看她們的容貌，才力，思想，看女子的本性那一類支離的東西，於是他們便絕望了。他們的好處是不妥協，他們大抵是"一切或無"的主張者，於是他們便堅決地過起獨身生活來。他們自以爲同性脫離關係了。然而他們不知道性也是不妥協的。他們曾經對性警告過："這裏沒有你說的話!" 然而性決不因此而服從了他，牠百折不撓，用無名的煩悶便把牠的反對者輕輕地斷送了。到這時，驕傲的性於是回答天才了："看我們究竟誰是更强者!"

戀愛究竟有沒有一種超越一切的力量呢?這個，在事實上一點也找不到證據，沒有一個人曾經在戀愛上創造出超越一切的華美的生活來。我們所得到的證據正是相反的，那便是，實際上並沒有這麼一種東西像所謂神化的戀愛者。但是，我們並不是說戀愛對於生活沒有功用，但牠不是那樣神秘的功用，牠只是性的功用。

戀愛只是性的表現，牠本身是什麼都沒有。所以因迷惑於戀愛而失陷於獨身的人們，他們的戀愛終於是一朵空想的花，而那朵花沒有趕得及開放早已枯朽，永遠地枯朽了！爲了找尋那沒有的而失掉了那實有的，爲了超越而變成空虛，爲了求生活的基本的創造而得到生活的全盤的毀滅；這些便是戀愛所給與我們的天才的惟一的神化。

人始終保存着他們的祖先的那種壞脾氣，對於無論什麼，不願意去看牠的實際，而只想省力地給牠一個附加的意義，而這個意義，他們又務必使牠弄得極圓滿，極穩固，顛撲不破，以遮蓋了一切。從這個放大的意義做成之後，牠的眞實便越發被壓抑在下面，越發不容易看見了。中國的婚姻制度的金科玉律自然是在這種可笑的杜撰之下完成了的，而歐洲進步的戀愛論其實也玩的是同樣的把戲。

戀愛論者最大的錯誤，便是他想在性的上面架空地建築起他的金字塔來，他並且不准這性在下面搖動。次則，他決不容讓這個塔有改造或推翻的可能，不得已的時候，那也只是因爲塔的自身有了破綻時，不妨略微加一點修補，然這也正是爲了要使他的塔完美的緣故。戀愛論者大抵都是一夫一妻制的主張者，這是他們從古典主義承襲下來而奉爲圭臬的，他們所最得意而視爲惟一可以壓服古說的，便是，他們的自由離婚論。這正像一個新典獄官對大衆說:"你們仍然是的，應該坐監，但是這是你們自己的事情，你們應該自己跑進去，有不得已的時候，也無妨出去，但能夠不出去自然是最好的了。"他這樣說着，他還假充他是一個解放者呢！自然，人們很不容易相信他的話，因爲人們對於監獄的認識沒有像對於婚姻的認識那樣蒙昧。

我們並不以爲戀愛的結婚沒有比舊式的結婚好的地方。但那不在結婚，而在結婚以前那一段很短的時期。只有那一個時期，性還沒有受了顯然的束縛，在牠的新的土壤上開放出美麗的，眞實的花來。一到結婚的那一天起，所謂戀愛的神聖義務者已正式開始，而性却不能夠追隨那種好大喜功的遠征事業，所以戀愛中的那一部分眞實的性的表現便立刻停止，而人們便開始過他們的升之九天的神化和沈之九淵的性交的滅裂而湊合的矛盾生活，而頌祝戀愛的勝利。只有人類中的那一部分號稱敏感與富於反叛性的詩人們有不少把這個黑幕發見了，因爲他們開始覺到他們寫不出華美的情詩來了，他們以爲一切都完了，於是在他們最後一首詩的最後一句寫道:"結婚是戀愛的墳墓!"其實，那並不是墳墓，那是監獄，正是那個典獄官所宣傳的應該自己進去的監獄。監獄是可以脫逃的呵！這是如何放縱而艱苦的反叛行爲呵！這除了那個詩人中的詩人歌德敢於踏上最大的不道德的懸崖之外，還有幾個人是沒有活活埋在那個幻象的墳墓中而苟安而絕望的呵！

下而至於一般的結婚生活，則連那一個短時期都找不到了，那纔眞可以叫做墳墓呢！一被埋進去之後，便永遠不會出來，正像兩付屍首，除腐爛之外什麽都不會有了。那是沒有絲毫性的自覺的。那樣結婚，是以經濟爲條件，道德爲媒妁，而在法律的石碑之下所演出的傀儡戲。性的生活，在那樣壓迫毁壞之下，早已活活地餓死了。雖然他們也可以發生性交，也可以生兒育女，然而那是什麽走屍式的性交呵！

到這裏，我們便可以正面看一看中國的結婚生活了。普通所謂夫婦者，美滿也罷，反目也罷，貧窮也罷，闊綽也罷，一件同樣的怪事，便是，在他們的生活上除了一些不相干的經濟，道德，法律等的糾葛之外，我們一點也找不出眞的性生活的痕跡。

這樣結婚，在毁滅性的本身生活之外，並且使那些做夫的男子變成苦力，暴主，使那些做婦的女子變成奴隸，玩具，而一致地養成他們的自私，保守，依賴，卑下，愚蠢等那類惡劣的習慣。

這樣結婚，更用了牠的加大的經濟的威力使一部

—— 23 ——

分男子多妻，荒淫，使一部分女子作妾，爲妓，更使別一部分終身成了怨女曠夫。

這樣結婚把所有的女子都壓在家庭的下面，使她們失掉了許多必須的活動的能力，並且用了家庭去宰割他們的孩子，使那些負有人類的進展的使命的少年被強迫或被引誘而只做成未來的一個單純的丈夫。

這樣結婚直接或間接地把梅毒，墮胎，強姦及其他乖戾的或殘酷的行爲介紹到我們的生活上來；牠造成私生子而又讓人們去侮辱他。

這所有以及其他一切的景象，便都是經濟，道德，法律三角聯盟而組成的結婚所演出的拿手好戲，這佔據了中國人的全部生活，而爲保守者所挾制，革新者所化驗的！

但便在那結婚與戀愛的一角，性便顯露出她的黯淡的光明來。私通一事，是無古無今，無東無西，不在隨時隨地流行着的。雖然在私產制度之下，私通也不能居於絕對的例外，一點不受經濟的惡化。然而眞的性覺，在這裏所表現的，無論如何是最合適與普遍的。私通不是一個固定的制度，人對於牠沒有養成一個迷信的成見，反之，人倒還都存着鄙視牠的心理呢！惟其如此，在不名譽的輿論下面，在秘密的恐慌下面，在制度的防禦下面，在法律的禁止下面，而且還有時在殺生的危殆的下面，所做出的破格的，自由的，放縱的，犧牲的行爲，至少是最近於眞的性的行爲。

次則，離婚事件，除中國不准離婚之外，在各國是一年比一年繼長增高着，戀愛論者把牠認爲舊式結婚破裂的結果，但牠却在同樣待遇，同樣在破裂他們所擁護的戀愛。

次則，宿娼與賣淫，雖然有很重要的經濟的原因，然性的煩悶也是促成牠的一個有力的動機。這樣性生活至少比結婚底下的要自由些，要有較大的滿足些，牠不像結婚的夫婦把白日的憂苦和禮節的陰影仍然保留在牀第之間。

次則，很少人承認多妻是正當的行爲，但牠仍然在流行着，這是因爲把性生活放在結婚上面，又把結婚放在經濟上面所必有的現象。沒有人敢說怨女曠夫的形成是合理的，不自然的性交是合理的，在當事者也不是有特殊的嗜好，這都是由結婚制度所一手包辦而鑄成的大錯。

次則，或顯明，或隱徵，或反抗，或忍耐，而人一致地都不能沒有性的煩悶。在文學作品上，性的煩悶做了大部的題材，尤其是南歐，尤其是唐農遒的作品。這都可以證明性生活有如何大的缺陷。所以到未來派的作品，則公然宣布雜交的眞理了。

結婚和戀愛是如此其不可靠，牠們的破裂是如此其巨大，壞的結果是如此其繁多。雜交在實生活上的傾向是如此其顯明，這些無不在表示對於眞的性生活的要求已十分急切，而不可一日緩的了。

人們起先呢，是並不知道性的生活有什麼價值，反而是一種極汚穢的事情，便連那個結婚制度也是大部分爲別的方面着想而成立的，到近代的戀愛論者則已知道性的生活的重要了，然而他們還爲什麼那樣膽怯，使一個很好的新發見沒有完成便中路抛棄而又走進別一個昏迷的圈子裏去呢？他們既然知道戀愛其實是富於變易性的，所以他們用自由離婚論去應付牠，然而他們爲什麼還那樣固執，不爽直去主張戀愛變易論而要扭扭捏捏只用離婚顯示他們的大量而把根本的重視放在神聖的戀愛上去呢？甚而至於那些號稱性的科學家的，他們自以爲那樣急進，自以爲他們是負有性的光明的指導的使命的，爲什麼他們仍然像一個穩婆，像一個看護婦，竭力在發見性的那一部較不重要的眞實，而去解救那結婚的窘厄，而給結婚更做了一堵保護的圍牆，至於那較重要的一部，那眞的可以發揮性的光明而爲人類生活根本改造上最有密切關係的一部，他們反要着瞎子不敢看牠一眼呢？

性的科學家們，以及凡關於生活本身的一切科學家們，我想現在還是暫且把他們丟開好吧！他們時常是生活在優秀階級裏，他們時常用他們那灰鼠色的眼光去看人類的一切生活，他們時常是淺薄的改良論者；他們那些性的科學家不是要眞正去做一個像自然科學家那樣的科學家，他們其實不過只想做成一個醫生，他們永遠看不見一個更重要的眞實，那解放人類眞的痛苦一方面的眞實，他們不但沒有去看的勇氣與興味，而且他們的生活，他們的褊狹的經驗也不准他們去看呢！性的科學家對於性生活的觀念，好的只是惟思想家的馬首是瞻，壞的還是惟固定的制度的馬首是瞻呢！

至於那些戀愛論者，那些較開明較勇敢的思想家，他們爲什麼也只達到那麼一個謬謬的妥協的結論呢？那全是那個玄學或者哲學在迷惑在玩弄着他們的緣故呵！那個玄學在人類文化的歷史上是有極深厚的根基的，而且牠自己又善於詭辯，巧於變易——但牠不准生活變易，多麼可恨！—— 牠的威權一直到現在還很穩固，也是由於牠狡猾的緣故，牠最長於隨風轉舵，跟着時代的潮流去進化，牠時而是觀念論，時而是汎神論，時而又是唯物論去敷衍科學，時而又是意志說，精神生活那一類五花八門的玩意，牠常在用牠的誇大的虛僞的，貌似萬能的，不着實際的一些名詞和系統去威嚇或籠絡一般人們的思想。而我們的所謂思想家又都或多或少是他們的信徒，也常在用精神神秘以曲解附會他所看見的微細的眞實，以致他剛一看見性的影片而立刻便轉到造化的神奇，以維護他的什麼宇宙的和諧之類的神聖的義務。而性的眞實於是眞的像神秘似的而止於曇花一現而已！我們有時候正不妨說，最沒有能力了解性的眞實的，還正是這般思想家呵！

明白性的眞實，其實並不是一件神異的事情，人們把牠看得神異，所以反不能夠明白了。

人的一切行爲無不在受着自然的支配，性的行爲當然也不在例外。因爲人的身體內部具有性的分泌，遇到外面相當的刺激便反應而發現性的行爲。這行爲，因爲男女分體的緣故，其中當然要經過許多的手續，而纔能成爲事實。這些手續當在進行的時候，便是性的行爲還在潛伏的狀況中，那便是我們所叫做的戀愛。到顯明的性的行爲在完成的時候，那便是性交，當這一段性的行爲沒有發生破裂的時候，當然會繼續下去。但是因爲人所接受的外面的和內部的刺激時常在複雜的變易中的；所以所發生的反應必隨之而起變化。所以眞實的性的行爲必是時常需要變易的。一成不變在普通的狀況中是不會有的，雖然也不妨例外地有，然那只可認爲例外。性的行爲，其實只是這樣平易，並不需要求哲學的幫助，或解之以什麼人之大倫。

因爲性的眞實，不過如此，所以一切固定的，迷妄的制度自然同牠背道而馳了。這便發生了衝突與破裂。而且這衝突與破裂，不但證明了制度的錯誤，而且因爲壓迫或反動的緇故更隱蔽了牠的眞實。所以人們雖然可以看出那些衝突與破裂來，然而他們終不容易覺悟了那是根本由於制度的緣故。人們對於制度大抵都存的是保護迷信的心理，軌外的行動除了促成他們對於那制度施以更完固的彌補之外，如何能對他們有更多的希望呢?

這便可以看出，不但是中國式的維持風化者，便是無論用了什麼方式去曲解一夫一妻的正義，便是自由離婚論者，除程度上略有差異外，誰又不是制度的信徒和衞士，而在向那性的眞實大施其陰謀鬼計陷害之阻撓之而不讓牠得見天日的呵?

明白了性的眞實之後，我們對於那個婚姻制度便可以更進一步地看出牠的缺點是如何顯明的了。

一，性的生活建築在婚姻制度上面，而婚姻制度又建築在經濟制度上面，使性受經濟的支配是根本沒有道理的，何況經濟制度的本身也正同婚姻制度一樣的不能夠適應經濟的生活。

二，因爲經濟制度下形成的貧富階級影響到婚姻制度，而發生一方面的多妻與別一方面的獨身，而陷人類的性生活於過度或不及的偏畸狀態。

三，因爲女子在經濟制度下的低卑的地位，使女子在性的生活上也處於低卑的地位，而失掉了性的自由，因爲家庭的壓迫並且使女子失掉了一切活動的能力。

四，女子因窮而流落於賣淫，一面犧牲少數女子的健康與生命，更影響到一般女子的地位更爲低降，一方養成男子的縱慾與驕奢，以及其他一切的流弊。

五，因家庭的分組而使人類中的兒童同少年直接受其支配而失掉自然的發展的機會，更使貧者愈貧富者愈富而影響到人類的經濟生活。

六，因個人的身體同環境的差異而形成差異的性的需要，强納之於婚姻制度，使不得各得其平。

七，因經濟的需要男子大半從事於家庭外的長期的活動，使兩方的性生活陷於停止，或促成宿娼與賣淫。

八，因家庭的對立而養成人類相互的隔離與仇視，大之而促成地方間的搏鬥，民族間的戰爭。

九，因家庭的糾葛而使人類失掉性的興趣，失掉較大的活動能力，使科學家因逃避阻礙而陷於獨身。

十，因戀愛神聖論而使少數天才不得其偶，而造成超越的苦惱與超越的損失。使詩人，文學家毀滅了藝術的衝動，減少了不可計數的華美的作品。

算了，這樣排列下去是沒有完的，反正大部分都是很容易看出的，略舉數例，也便不難知其全體。婚姻制度的壞處既然如此，還有什麼理由可憑藉以維持而辨護之的呢？反之，雜交生活除適應於眞實的性的生活之外，其對於人類生活全般的益處也就可想而知了呵！

自然，人們對於他的生活無論如何不滿足，但他甯願意保持着他日常的現狀，而不願意從根本上給牠一個變更，這尤其是衰老的，怯弱的，懶惰的中國人的特點。我們知道有一個阻礙，所以當提出一種新的眞理的時候，並沒有那種奢望，希望大多數人有容納他的雅量。但至少，我們不能夠允許他們因爲自私的不願意而揑造謠言去陷害那個新的眞理。雜交也是這樣，如人們不敢去實行牠時，我們儘可隨他的便，但是，他如其爲

—— 31 ——

了遮蓋他的醜陋而又要裝出懂事的樣子來時，那他便需要根據實際給我們說出他所以要反對的充分的理由。是的，是要根據實際，眞實只是存在在實際下面的。否則胡說白道，那正是證明他在造謠陷害罷了。次則，自八卦以至神秘一類的話頭，在反對者的口中也是不應該有的，因爲引用別人所造的謠也正等於自己造謠。

我們現在的世界有一個很大的缺點，比前者更能阻礙眞理的通行的，便是，有不少能夠接受眞理的人，而他們却沒有接受眞理的機會。這對於人類生活的進步，是比什麼都厲害的敵人，牠在滅絕人類中的最少數有進步的希望的種子。這一個危機，我們現在還沒有很好的方法去革除牠。但在別一方面，這也足夠證明我們現在的這一個世界，是非根本破壞了牠另建築一個較好的不可了！

雜交逐漸被人採用之後，也許有所謂流弊者發生，正中憂世憤俗的仁人志士之下懷的。防民之口，甚於防川。所以在他們利用流弊做口實以攻擊雜交爲洪水橫流之前，我們不妨先把他們的嘴堵住一些。所謂流弊者其實沒有那麼一回事。實際上什麼流弊都是反對者所造出的謠，性的生活的黑暗老早就那樣黑暗着，沒有雜交之前老早就那樣了。反之，倒是雜交可以暫且引出一部分人來走到光明的路上去，這當然不能爲流弊。在一種新的生活初次實行的時候，因爲向來沒有那種習慣，所以怕不容易立刻都像說出來的那樣完滿，然這正是證明應該逐漸養成那種新習慣去，也無流弊之可言。假借新的招牌以行舊的惡德的人也不是沒有，但那也只能證明舊的的壞，非完全革除了牠不足以完全實現那新的，如何能夠認爲流弊去把他們的假借歸罪於新的而更借口以反對那新的呢？這也正是一種假借，這把那些叫做流弊的！正是，我們如何能夠因爲有反對者假借流弊做招牌以反對我們的眞理這一種流弊，我們便把你們的假借歸罪於我們的眞理而根本收回牠來呢？

至於那個强權，牠向來是同眞理相衝突的，更無須說了。但是，反抗强權，也正是眞理的最大的責任。對於不講理的强權，只有不講理地反抗下去。關於雜交的强權，自然是法律與家庭，但現在的中國，則那還一定會成爲軍人的天職之一呢！

雜交在思想上，確乎是屬於洪水猛獸之一的。但是，你們憂世憤俗的仁人志士呵，請你們放棄了你們的徒然的過慮好了！因爲雜交在現在的中國是沒有完全實現的可能，至多不過是流行於最少數的有進步的思想的青年罷了。而這一部分化外的青年，你們其實無所

—— 33 ——

用其過慮，且過慮也沒有一點用處的。至於你們的家庭和國家呢，那你最好是竭力地保存着，只要牠們一天不被洪水猛獸毀滅之前，則這個屬於洪水猛獸之一的雜交是不會降到你們頭上的！

我呢，對於這個太早的雜交，其實暫且只要被一部分青年朋友們接受了，便也沒有什麼太大的失望。現在的從事改革生活的一部分青年，有幾個是不被家庭絆着他的一隻脚或用獨身以遏制他的生活的力量的呢？這其間，雜交的實行，眞是解除那種困難的一個最適用最合理的方法。

再則，我認爲雜交對於女子解放是有可懸的幫助的。家庭或婚姻的束縛尤其是女子的致命傷，不能革除了這些困難，除退回原路之外女子解放很不容易有別的結果。而且女子因爲環境緣故，能力常比較要薄弱一些，所以便是戀愛式的結婚，也便不只對於性的生活是一種錯誤，而是女子一經結婚，或多或少一定要爲男子所同化。嫁夫從夫，不只是應用在舊式結婚上，實際是新式女子也很少不被事實的這種必然在支配着。若實行雜交，則這些困難，便都可以無形消滅。因爲在雜交生活中的女子，第一，會完全養成經濟獨立的能力；第二必時常過的是廣汎的社會的生活，環境闊大，則自動的能力一定也隨之闊大；第三，所愛的男子既須變更，則性的生活外的其他生活關係較淺，不易同化，且某一個男子也不會有獨特的不被隨性變動而變動的威力。所以，雜交之與女子的關係，雖說就是解放的惟一的途徑，也不是過甚之辭吧！

評胡適中國哲學史大綱

一 哲學史難做

哲學是一個很複雜的學問，同時又是一個很簡單的學問。不知其複雜者，不能懂哲學，不知其簡單者，不能懂哲學史。何以故?哲學的本身，是一個玄妙的廣汎的探討，所以複雜。然而哲學的發生，牠所以存在的緣故，却很簡單，牠是一個經濟政策同變態的藝術兩者的混合物。不知其複雜，便根本沒有談及哲學的資格，不知其簡單，便不知道哲學之所以爲哲學者何在而敍述其顚末。在現代文明的歐洲，其實也很難找出幾個有能力做一本哲學史出來的人，更無論於中國。然而中國人也有中國人的特色，便是，容易滿足。所以這部中國哲學史大綱倒成了一本了不得的著作。如果指鹿爲馬與人類的生活沒有什麽關係時，則小孩們玩玩，誰都無須加以干涉。但是，一部哲學史便不然了。牠的錯誤的評價與現在和未來的學術上决非天眞的玩玩者可比，所以說明牠的眞象，便成爲一件不可少的事情了。

二 胡 適 何 人

在評一本書之前，必須先知道了著那本書的是什麼人，然後纔有頭緒。因爲一個人的思想決不能出了一個人環境的範圍。像這樣一本簡單的書，我們也無須對於牠的著者用一番艱難的研究了。我們只從蔡元培做的那篇序上，已經可以得到與這本書有關係的一個胡適的敍述。

在那一篇序上說，著者生於世傳漢學的績溪胡氏，又於西洋哲學史是很有心得的。只這寥寥數語，似乎已經告訴我們這本哲學史是怎樣一本書了。我們斷定，這樣一個人決不能做出一本好的哲學史來，因爲這裏缺乏做哲學史的一個人所必須具有的條件。這樣一個人，我們只能夠推斷他能夠讀幾本古書，並且懂得一些西洋哲學史的陳腐的排列。但是這些，與哲學史却沒有多大關係。

所謂漢學者，在近代的中國要算一個最好的學問了，但牠的價值却極其瑣屑，充其量，不過認得幾個古字，識得幾本古版罷了。所以牠的惟一的效用，便是，能讀幾本古書。但在中國瑣屑的學術界，這却已算是難能而可貴。外國的學術，則比哲學史好的很多，而哲學史却不妨說是其中最壞的一門。如其我們眞想知道外國哲學史的眞象，我們也不能求之於他們的哲學史，而反得求之於其他科學。胡適却把糞土看做珍寶，同中國的珍寶的糞土混合在一起，則他所做出的哲學史是一本什麼樣式的哲學史，便可以知道了。

三 哲 學 史 不 是 哲 學

如其世間的學問是順水推船地下去，則最適於做哲學史的人自然是哲學家了。然而這樣，也便沒有眞的哲學史，而哲學史只變成了哲學的註解。中國的明儒學案便是最顯明的這一類的代表。世界是進化的，所以宗教史不能求之於聖經，也不能讓教徒去做，牠已經從哲學的研究而進至科學的研究了。哲學史也是這樣。哲學之在今日，同宗教是沒有分別的了，依附在哲學的藩籬之下的人們再也沒有做哲學史的力量了。

其實，這些也是很淺顯的事實，只是人們不願意拋棄他們的成見罷了。哲學史是歷史的一種，而不是哲學。這也猶之乎說歷史不是哲學，這是如何淺顯的話呵！歷史現在是科學，所以哲學史也是科學了，這是如何淺顯的事實呵！科學不是哲學，這是如何淺顯的事實呵！然而現在的人們偏不知道事實，偏要迷信古人的傳說。

四　開　頭　便　錯

這樣一本大著作，一開頭却偏提出"哲學的定義"來，我們便知胡適的意思只是在做哲學的註解了。而且這個"如今暫下的定義"又其實是一個向來差不多都如此的定義。我們知道胡適並沒有認識了什麼是哲學，我們又如何能夠看到一本眞的哲學史呢?以下的兩個"例如，"我們再沒有看的必要了，因爲那只是那個定義的演義，好像在講給小學生聽的。

以下，他便說明哲學史是什麼，然而他只仿照了哲學的口吻說明了哲學是什麼。他並且說哲學史有三個目的："明變"，"求因"，"評判"。然而，"明變"所說的，正是哲學家的工作。"求因" 在要尋出哲學沿革變遷的原因，頗有些近似哲學史了，然而緊接的"例如"便又走入迷途。原因的三種，如"個人的才性"與 "所受的思想學術"完全是非科學的話，而近似科學的"所處的時勢"一則，又極籠統之能事。哲學史的前兩個目的旣然弄錯，則即使他說的是有那麼一回事，而第三個目的的"評判"也當然無所施其技了。

五　什　麼　是　史　料

著歷史書，必須史料，事實簡明，無須細說。然而，

— 39 —

什麽是史料呢?胡適說到哲學史的史料時,舉出原料附料兩種,而歸其"工夫"曰"述學"。所謂述學者,便是,用科學的方法整理史料以求出學說的眞面目。所謂史料的原料者,卽,各哲學家之著作;所謂附料者,卽別個哲學家關於各哲學之著作。他雖然把這件事說得堂乎其皇,然而我們却以爲像這樣簡而易舉的事,實在無須著哲學史的人去做,已有整理國故的人們代爲做好了。

我們以爲,如其我們對幾個學哲學的小學生說及學哲學的初步時,我們將說:"你先把各哲學家的原著看一下,然後再看一下別人關於各哲學家的解說"然而一個做哲學史的人便不應該如此,所謂"學說的眞面目"者,對於科學有根據的人不難知道,不能求之於那個學說,而須求之於那個學說以外。正如,我們要知道野蠻人的生活的眞象時,我們不能夠簡單地只根據野蠻人的述說,我們要知道生物的眞象時,我們不能夠請生物自己告訴我們牠的眞象。便是,當我們要明白胡適的這本哲學史是什麽面目的哲學史時,我們也不能單看了這本哲學史及別人對於這本哲學史的批評便算了事,我們還須求之於其他。而且,卽胡適自己也不以爲這樣是可能的,所以他也舉出幾本參考書來。然而這樣其實還是不行的,卽如我們要批評這本書,而只看過這本書及關於這本書的批評文及著者所舉出的參考書，則我們實在沒有半句話來做我們的批評了。

中國的士人只知道在故紙堆中討生活，所以也只知道一些關於故紙堆中的瑣屑的知識，所以也不能夠明白故紙堆中的眞面目。胡適出生於績溪胡氏，得了故紙堆中討生活的嫡傳，我們原也不必有所希望於這樣的人。但是，胡適又曾游學於西洋，西洋學者中的優秀者概不如此，則胡適而游學有心得者，萬不應該如此。然而胡適偏不自以爲是中國故紙堆中的書生，而處處以學者自矜，而且像煞有介事而爲科學之導師者。然而事實給我們證明，胡適其實仍是一個書生的眞面目，與科學無關。

連史料都說不上來，所以所謂史料的"審定"與"整理"云云者，也便根本沒有多大的意義。總之：胡適所說與所做的，用舊名詞來說，便是所謂考據，用新名詞來說，便是所謂整理國故，兩者即一，而要之於哲學史則尙離題萬里呢！

六　不是劈空從天上掉下來的學說從何處來？

胡適爲表明他的科學的態度，所以他說了："大凡一種學說，決不易劈空從天上掉下來的。"然而這話却太可笑，因爲在古代的時候也沒有幾個人相信的。一種學說必有牠的前因，這是人們都相信的，所不同的，只是各人都有各人所認爲的不同的前因而已。胡適所認爲的前因，則是時勢與思潮兩種。然而，思潮不能做思潮的因，因爲同是思潮的緣故。時勢是什麼呢？又極籠統之能事！胡適所說的時勢與思潮正像古人所說的時勢與英雄似的，英雄造時勢，時勢造英雄。時勢與思潮，兩者是互相因果的。這樣的說法，古則古了，然而其如科學何？

"大凡一種學說，决不是劈空從天上掉下來的，"誰都不能夠反對這話，但這話也沒有意義。重要的是，學說是從何處來的呢？胡適答道："來自思潮，來自時勢。"然而，學說卽思潮，思潮卽學說；而時勢又思潮所造成者。然則，這豈不等於胡適說："學說來自學說"嗎？胡適嘲笑那種沒有的"學說來自天空"的學說，而自己建立了"學說來自學說"的學說，這在我們看來，還是那第一種學說比較高明得多，因爲牠雖然是錯的，然而牠却畢竟是一個說明。至於胡適的那第二種學說，則乾脆是不成話而已！

七 什 麼 是 時 勢？

時勢是一個籠統而又籠統的名詞，一踏上時勢的路便是走入死路。但是退一步講，籠統的字，如能夠分析出一個條理來，也未嘗不可以隨俗應用。然而，胡適對於時勢的分析的結果是什麼呢？他分析古代的時勢是：(一)戰禍連年，百姓痛苦；(二)社會階級漸漸消滅；(三)生計現象貧富不均；(四)政治黑暗，百姓愁怨。這裏邊的(一)(三)(四)仍然是籠統而又籠統，正同籠統的時勢一樣。至於那個(二)，則更是閉了眼睛胡說！誰能夠給我們證明人類的歷史上有過"社會階級漸漸消滅"的時代呢？

而且所謂時勢者，牠應該是指某一個時代的情形，而不是指凡時代的普遍情形。然而，這所謂戰禍連年，百姓痛，苦生計現象貧富不均，政治黑暗，百姓愁怨者，豈不是通古今中外而皆然的時勢嗎？用此以求中國古代三百年間哲學發生之原因，幾何其能求得其眞原因也！

胡適坐在士人的書房裏，沒有看見過世上有所謂階級的存在，他在銀灰色的夢裏去玄想古代的人類的生活，從書本上看見到了某一個時代，諸侯也可稱王，大夫有時比諸侯還有權勢，下等社會的人也往往有些暴發戶，跳上政治舞台，建功立業。他於是以為社會階級漸漸消滅，誠然是當然的事。而且開口百姓，閉口百姓，活現出一個古代以王臣自命的士人的傻像來，其不能明白人類生活的眞面目及由人類的生活所支出的哲學的眞面目，又何足怪呢？

八 詩人時代

如著者所說，哲學發生的第二個原因是思潮，所以他便提出了那個詩人時代。然而當他證明那個時勢的時候，他是用了詩人的思潮，他現在又用詩人來證明思潮了。然而詩人的思潮又是如何發生的呢？如其這個不能夠說明，又如何能夠用沒有說明的東西去說明那個同樣沒有說明的哲學呢？

詩與哲學，我們確乎可以找到牠們的一些相同點，然而這個只能證明詩同哲學有相同的來源，而不能證明詩是哲學的來源。當我們說那相同的詩的時候，正如我們說那個相同的哲學，這如何能夠找出眞正的因果關係呢？

然而那個神秘的詩，竟能夠在思想界中下了革命的種子，這些革命種子發生出來便成了革命家老子，革命家孔子同許多許多革命家的革命時代！這眞像天崩地裂，天花亂墜，無處非神秘，無處非哲學，無處非革命呢！然而，如其不把歷史從新假造過一遍，這又如何能夠做出眞實哲學史來呢？

九 中國哲學史大綱不是哲學史

以上我算是約略批評過這本書的第一二兩篇了。

我們從此可以知道了這本書的根本的錯誤是在什麼地方。此後分篇講述哲學，我們知道那完全是士人考據的工作，也便是現在所謂整理國故。

我們現在所說的哲學，都是古代的某一些人的言語之用文字寫下來的。我們想明白古代的哲學是什麼，我們必須先知道古代的人類的生活是怎樣。人依何而生？能夠回答這個問題後，纔能說及"人說的是什麼話？"那一個問題。所以做哲學史的工作的第一步到最後一步是：從那時候人類的實際生活去說明那時候人類所說的屬於哲學一類的話。

至於這本中國哲學史大綱呢？則我們認爲牠不是一本中國哲學史大綱。

十　汎　論　的　汎　論

胡適是時常在口頭上以科學爲己任的，不懂科學的人們也以此脅之。然而，胡適却沒有做過科學的工作。胡適的文字，從前在新青年上偶爾談過一些白話文法，倒還有不少好處。其後則所謂整理國故者，也只是考證了幾部古書。至於這本中國哲學史大綱仍然不過考證了幾本古書而已。謂爲整理國故已經有些名實不符，而況妄自尊大，借科學以欺世呢？姑無論說實際的發明，只說文字上的科學，在現在的中國有沒有，還是一個問題。但此係後話。現在我們最重要的工作，是該先把那些假冒的科學，揭開牠們的面具，以使好龍者先明白什麼是眞龍。

然而這樣一本書，胡適竟然還以爲是他的什麼理想的中國哲學史呢！其淺薄妄謬，眞可佩服！而且一錯不已，還希望別人也走他的錯路，則又豈只淺薄妄謬而已嗎？而且，更無理取鬧的，便是，他限定別人只准用他的評判他的書。試問：方法是什麼？是上帝嗎？是絕對嗎？錯誤的方法，爲什麼不可批評呢？這不是如同說，„你如要打我的嘴時，只准你用我自己的手，”一樣多麼狡猾的笑話嗎？

我寫這篇文字，只在要說明一下中國哲學史大綱的眞象罷了。對於胡適個人，當然沒有說什麼話的必要。但假如也隨俗說一兩句時，則“百尺竿頭更進一步”云云者，讓牠收入應酬彙選去好了。我想胡適只有兩條路可走：第一，是他自己說而自己却沒有做的，“救出自己”；第二，則是我替他說的，“否則，滾吧！”

天才破壞論

雖然還沒有醒目的藝術運動發生過，然而從虛偽的藝術界所時常聽到的吆喝的聲音倒有不少是氣派十足的，關於天才的一類也許還是最響亮的一種。有的人說:“我們在需要天才的產生!”這最少也好像可以表示他們對於藝術有十分的熱愛。然而“什麼是天才”這一個問題却是暫且不要提起。他們在希望天才，這意義實際上時常是表出現在還沒有天才，所以無須麻煩，誰想做批評家時可以立在他的這種希望之下否定了所有現在的作品。那意義正是，我們在希望天才，你們不是我們所希望的。所以你們不是天才，所以你們的作品是壞的。至於“什麼是天才呢?”這一個問題，仍如我所說過的，暫且最好是不要提起。還有人說:“我自己不是天才。”這表面看來倒像是很老實的，但實際上却又不是那麼一回事。說這種話的，大抵常是那些自命藝術家者，所以你最先應該注意的便是，也許他在表示他的謙遜。

而且，到後來你便可以明白那是在說着什麽了。因爲，很快的，那句話成了一個前提，那便是：“我不是天才，所以你也不是天才，所以現在還沒有天才。”“但是，”——在這一個“但是”之下，便更耐人尋味了，因爲他實在是說：“但是，我是天才，只是你們還不能夠認識。”天才還有別樣的用處，這却幾乎是聰明的中國人所獨創的用處，當某一種人想要中傷你的時候，他便說了：“你是天才呵！”天才到這裏便成了一個侮辱的名詞，人們且不再希望天才的產生了，只拿了牠來用做侮辱別人的用語，言簡而意賅，正如看見叫化子時而叫他道：“我的皇帝！”還有些人，則又旣不自謙，也不毀人，而只是眉飛色舞地述說幾個外國的天才，使人們記起“欲知其人，先知其友”的那一句古訓來。還有些人們則並不標榜天才，而只述說自己一些類似天才的行徑，希冀遇到暗中摸索的識者。或者顧影自憐，或者對月傷懷。要其實，却大抵都是自命爲天才，而認別人爲不是天才。

中國的藝術界現在有沒有天才這一個問題，我沒有解答的義務。我所要提議的是：“天才這一個東西已經被人們弄得五光十色，莫名其妙，浸假而天下一切壞事，密借天才之名而行。我們現在的問題是應該更爲根本一些，我們應該去看一下，世間究竟有沒有天才？”

現在我們可以順便提出"什麼是天才?"這一個問題了。中國向來是只有才子,却不大提起天才。所謂才子者,如八歲吟詩呀,七月而識之無呀,過目不忘呀,萬言立就呀之類。這在現在便不能稱爲天才,而是屬於聰明人的一族。至於那在藝術上留下巨大的成績的,如屈原,則別無什麼頭銜,人也不以才子目之。所以才子一名,與天才無關,讓牠在歷史上睡覺去好了。所以天才這一個東西,又純然是舶來品之一,應該去檢查一下外國的古董去。但是,我們决不要去探問那些關於天才發過什麼議論的人們去,因爲那樣便得不到結果。比如:"天才即狂人"呀,"天才亦英雄"呀之類,我們再問"什麼是狂人?"呢,"什麼是英雄?"呢之時,那豈不是還同原來一樣,當我們問"什麼是天才?"時一樣沒有解答嗎?所以我們是要看一下那些被外國稱爲天才的是誰們,和他們爲什麼被稱爲天才,我們纔能夠知道了什麼爲天才。

比如,Hugo 是被人們稱爲天才的,因爲什麼?因爲他有天才的作品。當 Hugo 在八歲的時候,吟沒有吟過詩,我不知道,然而那時並沒有一個人預先便判定他是一個天才。當他某一種作品出來的時候,人們纔敢說他是天才。所以一個人的天才也便隨年齡的不同而區分爲稱種。如 Hugo 者，便應該說在 Cromwell 出版之後，他是 Cromwell 式的天才，到Les Miserables 出版時，他又是 Les Miserables 式的天才了。推之於 Byron，Goethe，也都一様。而且，一個人的天才，也只有在蓋棺論定時，纔能夠有準確的認識，因爲只有那時纔能夠算是絕筆。

如此如此，因爲某個人有某種作品出現，所以某個人便被稱爲天才，因爲某個人有某種某種的作品出現，所以某個人是某種某種的天才。那些批評家們呢，是相當地認識了他的作品，所以酬他以天才的榮譽。普通讀者呢，則大抵又因爲他被批評家認爲天才，所以便說他的作品是好的作品，因爲是天才的作品。所以如果世間眞有天才那麼一個東西時，則他倒是從作品產生的。

然而世間之所謂天才，則並不是只有這樣簡單的意義。當你想到天才時你時常還會想到權威，上帝，神怪，說不出的優越。實在的，天才這兩個字的意義實在超出於牠所從出的來源，而誇張化，虛僞化，成了一個不可解的東西了。

如其世間眞有天才的時候，那便應該當他沒有入娘胎的時候，便具有廣大的神通，甚至預先給我們唱出他的詩來。否則，娘胎這一個東西，在我們看來已經極平凡的環境之一，一入其中，也便與什麼天才再沒有一點關係，而便平凡化，而便成爲受環境支配的俗物之一了。

然而天才論者都沒有這樣大膽，他們說謊還不敢說到這樣露骨。他們無論說什麼話時，常喜歡應用那種"一半兒"式的邏輯。所以說起天才來時，他們便說："天才一半兒由於先天的異稟，但一半兒也由於後天的修養。然而又很顯然的，這所謂後天的修養者，只是一種稍留餘地的補充的辭說，重要的還是先天的異稟。比如，這裏有幾個人，雖然不妨有相類似的修養，然而其中的一個却是天才，而其他却都是庸衆；這便由於先天的異稟了。然而什麼是異稟呢？這又正同於當我們問"什麼是天才呢?"的時候一樣遇到困難。因爲難於說明所以以不說明了之，而推諉先天去。然而什麼又是先天呢?普通的用法,並不含有未入娘胎的那種意義,其實只是說未見天地之前,那倒正是說在娘胎的時候。在娘胎，這在那一般人們看來，委實是很神秘，難於說明，所以也便是大足以說謊騙人的了。可惜我們現在却不能相信那個，因爲我們確乎知道了所謂娘胎者，實在不過是平凡的環境中的一種，牠的說明並不絕對難於其他環境的說明。

藝術家時常是驕傲者。在不卑怯這一點上，驕傲自然有牠的特殊的長處。然而驕傲時常又引伸而爲惟我獨尊，所以人們說天才只需要別人的卑怯的諂媚。但有時，我們也要原諒一些藝術家們，因爲他們的驕傲對於那些批評家們倒時常是正當的待遇。普通所謂批評家者，大半是由藝術的落伍者改業而做成的，所以與其讓他們驕傲地執行他們對於藝術家的權威，毋甯讓藝術家們驕傲他們去。而普通較高等的批評家們，也確乎有這種自覺，所以他們對於幾個特殊的藝術家確乎盡其恭維的能事。天才，便是批評家們恭惟藝術家們的一個最適用的口語。因爲能夠恭惟藝術家，所以他自己也便成立了他的批評家。天才只需要別人的卑怯的諂媚，所以也樂得麻裏麻胡地自己承認道："我是天才！"而某一時代的新興藝術家，當他遇到那些以諂媚老的藝術家而得名的批評家的驕傲時他也便理直氣壯地報復道："我有我的天才！"

然而，天才究竟是什麼東西呢？却沒有一個人能夠說明出來。我們所看見的事實只是，天才不過是產生自作品。然而天才又不是恰切適合於某個作品的評語，而是離那個作品有一萬二千英尺遠的一個恭惟或恣睢。

一個人從入娘胎那一天起到入墳墓那一天止，無時不在受着環境的支配，這裏不但沒有所謂先天而且沒有所謂後天。而且無論那一個人都不是例外，藝術家也不是例外。人類因受自然的刺激而起反應，而於是有行為，藝術也是人類的行為之一種。無論那一個人都有他的行為，然而他不必認識他的行為，藝術家也不必認識他的藝術作品，雖然是他自己創作出來的。批評的職務，便是說明某種作品之如何而產生，而不是對藝術家而行其諂媚。普通的讀者呢，你們不妨讀某個作品，而且你們也不妨說你們喜歡某個作品或不喜歡某個作品，但你們不要僭妄又想跳高去冒充批評家。

至於，世間究竟有沒有天才那麼個東西？那便是，當人們不能夠明白地說明什麼是天才的時候，我們讓牠同中國的才子一同到歷史上睡覺好了。現在的年頭兒已經變了，不能說明的也便是沒有的，人們不應該再那樣自暴自棄，編派些神怪的話頭自欺欺人了。

我們中國的青年朋友們呵！我們在一般事件上離外國都還很遠，我們自然要老實些往前走路。但外國也並不是樣樣都對的；請拋棄了你們的假借與狡猾吧！在我們的面前的，只有兩條路：不是生，便是死。藝術也是如此。

韋凝珠與韓荷生

花月痕是中國士宦小說的代表作，中國的士宦得意地或失意地把自己的像畫在這裏。這雖然是叫做花月痕，然而沒有自然的花，也沒有自然的月，也沒有能夠自然地享受自然的那樣人物。這裏的這個世界，是一個庸俗的世界，是充滿了勢利的爭鬥的世界。中國的士宦在這裏得意而擺酸，失意而擺酸，無往而非酸樣子。這裏沒有活的人，因爲人們都住在人之下而做着人之上的夢。名士不紅便是名士的大悲哀；妓女不紅，便是妓女的大悲哀；紅的呢，又成爲天之驕子了。什麼治國平天下的大道理，是天底下沒有的道理，只是一些士宦在那裏掉說謊的書袋子。你聽見他們發什麼大議論時，乾脆無須乎相信，那只是他們官興發作罷了。到失意的時候，也便正是無官可坐的時候，於是便坐在妓女的懷裏，傷花歎月，而悲痕之不常留，實則這所謂花月痕者，其本身只是醜惡，决無常留的必要。這痕在一天，中國也便一天是醜惡的。也不會有花；也不會有月。只有醜惡的痕而已！我們祝禱這怪毒的痕消逝吧，隨着失意的士官的帶有醜味的歎息一古腦兒消逝吧！我們現在的這一個中國，雖然其實是一片荒地，然而士官却是太多了。雖然其實是一片荒地，然而也還不是沒有農夫，工人，與無知而可有新知的小孩，五歲或三歲乃至尙未出世的小孩，我們還可以重新建築起一個世界來。不幸我們的士官却是太多了，那些爲他們所感傷過的不常留的花月痕，不幸反纔好像在要常留着了。牠們留着在我們的老人的那些墳墓裏，留着在指揮我們的那些權力裏。留着在我們所誤認爲時代之花的，留着在那些最漂亮的，最新鮮的，最奇異的花的虛僞的色與香裏，蜂媒花也罷，蟲媒花也罷，風媒花也罷，牠們也許還會散播開，散播到那些無知而可有新知小孩們的睡榻上，或者在未來的這一片廣漠的荒地上終於會充滿了這怪毒的痕！

我們如一細心地，公正地注意一下現在流行的那些玩意兒，那些什麽什麽的主脚，那些這個派或那個黨呀，那些十樣翻新而終沒有換樣的出版物裏，新聞裏，隨便的談話裏，我們將無處不遇見這怪毒的痕，這士官及其所有物！我們將要疑惑是誤入了古代，與骸骨相周旋。我們將要覺到這個現代實在是一個空虛的現代，正在需要着什麼裝進去的，甚而只在需要着一些新的姿勢。於是我們翻開那常是時代的預言的藝術來一看，不幸我們也看見了不少的怪毒的痕，骸骨的瘟臭的唾沫。我們也許會疑惑這裏的人們是死到心上的民族。

中國和藝術這兩個名詞，本來便像不容易連貫在一塊似的，住在這裏的人想走上藝術的路便像富人想進天國那樣難。卑之無甚高論，便是拿歷史的眼光去回望古代，除了一些民間的歌謠外，其他如離騷，水滸兩作究竟有多少藝術的價值，尚很難說定，等而下之的更無須提及了。昏透了的是那些提倡過新文學的人們，他們無所知而巧於胡說，什麼九命奇冤呀，儒林外史呀，更至於無所知而胡說，什麼易卜生是這樣呀，羅曼派是那樣呀，於是把什麼都鬧了一團糟，而那些小英雄們便都聞風而起了，在無所知之下而得到了不少的標榜，而來中西合演繞着筆桿以成立其詩，小說，戲劇——藝術，而自謂已成立其人上人者！其實這些小英雄們如其剝掉他們的虛浮的面具，而來重新看一看自己，呸，碰鬼，有什麼英雄，人上人，不過是那些過去的士官的子孫，現在的或未來的士官，或者未來的失意的士官而已，，而已！別有一些較爲幸運的小英雄們，戴上洋字的頭術，更是像假洋鬼子似的可以擺騙一切了，更是無所知而大可胡說，說得天花亂墜，以為他們便可以做成功天之驕子！而我們的藝術運動，便在這鬧攘攘的老少中西的雜湊中輕輕地溜過去了，幾乎像沒有留下痕跡。

在我們的現代，如想在那些流行的出版物中，那些書局瞎印，讀者瞎買，評者瞎喝采的出版物中，如想找一點眞正的藝術作品，也許未必能過於五部吧。如想找一點眞正於藝術有關係的作品，也許未必能過於十部吧！更無論於這五部，十部者，究竟有多少藝術上的價值，還是很難說定的事了。反之，我們屈指一數那些沒有一點藝術性質的書時，那個數目立刻便是很多的了。

本來人們還認為藝術是個人的產物，所以我們的士官想做官便自己做官，想作文便自己作文，這是當然的事。然而發表這一件事，是無可辨護地有給別人看的意味，那又如何能純然當做個人的產物呢？如其一個作品沒有一點時代的意義時，牠又有什麼理由可以公諸時代呢？如其牠沒有公開的價值而却公開了，那又如何能夠更冒充藝術呢？在某一種意義上藝術或可以叫做個人的產物，然而這個個人便不能夠是隨便的那一個個人了。自然，個人的作品，不能超出於個人的行為，個人的行為又不能超出於個人的環境。如是而作品旣含有時代的意義，則這一個個人便必須有多少的時代的行爲，必須有多少的時代的環境。與時代無關的人是掉不下藝術的深淵裏，如其以爲那可以得到榮譽，則是根本便認錯了路。

我們中國也還有着自然，也還沒有被世界擯諸四夷，也還有勞苦而堅忍的農民，也還有勞苦而活動的工人，將來的事無須乎我們擔憂。不幸的是目前，不幸的是目前執筆爲文的都是些生於士宦之家，長於士宦之城的一些士宦的子孫，而又以士宦爲職志的新英雄。從這裏我們將會看見虛僞的作品還要蔓延增長，如其沒有有力的批評時。但這些畢竟是一瞥的燐光，報告死之老去，是經不過時代的淘汰的呵！不幸我們雖然在目前的那極有數的光榮的代表作品中，也可以看到韋癡珠與韓荷生的影子，然而那些畢竟是歷史上的廢物，轉瞬便還歸本位。而且事實會是這樣的：如其那些作者們不能翻然改悟接受時代的指揮時，則作者也將隨其過去的作品一同返於青春的衰老之地位。

至少我們是有一個新的智識階級該起來了，這是目前最可能的，而且也是必然要起來的，我們從這裏將會看見新的人，新的藝術，新的時代的影子。

你們借屍還魂的韋癡珠與韓荷生呵，請預備着在新的時代降臨之前一夕戰慄，倒斃，羽化而歸去！

5，10，1926。

批評工作的開始

1. 批評的緣起

我常自信我是能夠做些批評工作的，但我一向還沒有做過。原因大概是：一，我的生活不使我有做這個工作的餘裕；二，我的生活不使我開始科學的研究，便是不使我有較滿意的做這個工作的力量。所以當我們幾個朋友在 1924——5年間辦狂飆週刊的時候，我連一篇批評也沒有做過。我開始做通常的批評大概是在京副上發表過的那篇短文花園之外吧。但是我不滿意我這篇文字。接着我又做過一篇評玉君，却也只做了一篇序，却沒有做正文。花園之外一文，我是爲糾正當時流行的一派只裝點字句而不知道表現生活的習氣而作的。這篇文字的結果，少數朋友們的談話中便添了"花園派"這一個用語，別一方面，也曾惹起一些不認識的人們對於我的仇恨。這是違反了我做文字的用意的，我初不以爲批評是含有惡意在內，所以我也不願意人們以惡意報我。評玉君，是對於現代評論社的誇獎的一個打擊，並想借這一篇文字貢獻給小說的普通讀者以一些較正確的認識。現代評論社對於藝術是什麼也不懂，然而他們却說他們的文藝都是水平線上的作品。如其中國的一般讀書者都對於藝術有較高明的認識時，則現代評論社的這種說謊，我可以認做是商業性質的廣告，無須一定要說話。但是，不特不是那樣。而且有些讀者還都驚於出版者的聲勢及惑於舊小說的氣息而來歡迎這本書。當時在京副上也還有過幾篇稱贊的文字。於是便引起讀者的攻擊。我那時，本來想做一篇很長的文字，把全書分析的一一說破牠的眞象。但這畢竟是一件沒多大意義的工作，所以只做了一篇序，即是批評玉君的序，便丟開手了。後來聽說豈明很稱讚這篇文字，他當面也同我說過一次，說是把玉君的壞處說盡了。這時正是莽原週刊初出版的時候，魯迅也同我說.輿論是歡迎我的批評，不歡迎我的創作，所以讓我多做批評。但我是愛我的創作，不愛那樣的批評，所以我不大高興那種輿論，但我也終於計意着要開始一些批評了。接着時局便起了劇變，莽原的稿件也略感缺乏，我於是便開始了那個使人厭惡的"弦上"了。這其間，景宋也有信讚美我的批評，說是我擅長的工作，勸我多做，天津也有一個不認識的朋友來信鼓勵我，因此種種原因，我便一直做到十五篇。然而，急就章第十一，那些東西其實沒有一篇做得好的，這是我不能不向這些朋友們抱歉的呢！別一方面，則因此也使我得到不少的反感，即是，一般讀者都不懂得我所說的用意。我曾當面受過人們很幾次的譏笑，有朋友式的，有路人式的，也有敵人式的。乃至連洪水的編輯都不懂我的文字，我想，只要人們把那篇弦上的小序看懂，也還不至於對我生太多的惡感吧！然而，我因此也覺悟：我的話說得有些太早了！我時常不願意太早來說話，然而終覺還落得太早了！別一方面，有一件最使我不高興的事，是，人們看了我這一類文字便以爲我所做的文字都是雜感，連我的散文詩也變成雜感了！最顯明的例便是，韋素園編輯民副的時候我的雜感照例是在末了安排的，有一次便連我的那篇比較最滿意的散文詩"黑的條紋"都也在末了安排了！這使我不得不在莽原週刊上重行發表。我的批評，無形之間惹來許多人對於我的敵意不算外，牠並且自己造作出一種敵意，一種對於我自己的創作的敵意，牠無形之間毀滅了我自己的創作！這便是我做批評對於我的報酬！然而我也並沒有因此便不做這一類文字，然而在這種情況之下，我又如何能夠做出使我滿意的批評呢？

—— 62 ——

現在讓我自己來批評一句吧，我從前並沒有做過眞的批評；我倒是做過一些眞的創作。

2. 批評的幾個要點

現在我是要開始我的批評工作了。我以爲這只是一種工作，既沒有權威可說，也不是對作者來表示同情。既然是一種工作，所以只是應需要而來的，不必顧念什麼永久的價值。即如最初造擺渡的人，並不嫉妬到將來的汽船，也不曾計慮什麼是擺渡與汽船的分別。我自然願意我現在造的是擺渡，因爲如此將來便可以再有汽船，這也是必然的趨勢吧。至於，那將來的汽船由我去造或者由別人去造，更是沒有關係的事了。

因爲這是應需要而來的一種工作，所以我想竭力做得淺顯詳細，以期比較地近於實用。同時，這也是給我橫添出的一種限制，使我不能夠把我的批評較完全地建設起來。好在，這些都不妨到將來再說，現在先說現在的話。

我的批評的幾個要點，我想先在這裏說一下。第一，我不承認作品是作者個性的表現。這並不是不承認在普通的意義上的事實，而是較深刻的一種說法，即是個性沒有確定的意義。我們如從作者的個性去研究他的作品，是不會有結果的，因爲個性的研究便先是不會有結果的。從前的批評雖曾有研究過作者的個性的，然而都很淺薄，或者可以說是自欺欺人。再則，我們即使先承認了個性是有確定的意義，然而個性是環境的產物，誰能夠確切去知道某個作者的環境，這不是連作者自己都說不上來的嗎？如若應用心理學的實驗法，則不特一樣不會得到完滿的結果，而且作者也未必讓我們去實驗。而且，一個藝術的作者正與一個普通人是同樣的價值，科學不能爲他個人去盡特殊的義務。發明汽機的人，重要的是他的工作，不是他的人。藝術也是這樣。所以，第二，我認爲藝術只是一種工作，是應需要而來的，是應時代的需要而來的。這可以說是一種藝術的機械觀。研究一個藝術品，同研究汽機是一樣，看牠如何而發生，牠的效用有多麼大便得。所以在我的藝術批評上，成爲重要工作的倒是那些普遍的生活狀況同作品的本身，而於作者却沒有關係。如我的批評有錯誤的時候，那便是因爲我在普遍生活同作品的研究上有了錯誤，却不是這樣批評便是錯誤。如有人反對這樣批評，則請他告我：個人的生活如何能超出於普遍的生活之上？作者的個性如何能超出於所謂表現個性的作品之上？第三，我取消藝術批評上因襲的那些流派的分別。

藝術是無所謂派別的，正如生活是無所謂派別的。因爲從前的批評不知道着眼於普遍的生活，而只知道恭維或攻擊某種作品及牠的作者，所以從作者的個性同作品的形式等，淺薄的揣測而妄自編派出流別的名目。如從實際上一研究時，則這些所謂流別者，連批評家們都也說不出一個確定的界限。流別徒使藝術混亂，使藝術的"觀衆"莫名其妙，使藝術的作者們固步自封，相互仇嫉，此外再沒有別的用處。第四，我想竭力向這點做：多說明而少估價。我是不承認批評是估價的，而且我不承認世間有所謂價值者。就是我們想知道某個作品之普通所謂價值，我們只須加以相當的說明也便夠了。但這一點是很難做到的，我現在也沒有這麼多力量，所以只可竭力向這一點做，做到多少便算多少。第五，認作品不認人，這一條本來是無須特別提出的，因爲要表明我的態度，所以也便提出來。我們國裏人的成見很多，如我批評某個作品好時，則在讀者便以爲我是捧某人，在作者則又以爲我是借此做廣告。如我批評某個作品壞時，則讀者以爲我是想取以自代，或嫉妬某人，在作者則又以爲我只是對他個人表示惡意，這些都是批評的最大的阻礙。雖然仍知免不了這種現象，然我的批評的態度却總要竭力忘掉了作者而只認作品，不管那個作品的作者是我的朋友或不認識的人，是出名的或不出名的人，是我自己或別人。這也是很難做到的，但我是在竭力向這裏做。本來我們在經濟學上批評資本主義的時候，並不是批評美國的煤油大王，這其實倒是極淺顯的事。現在不想多說了，如有別的條件時，將來再說。

上面所說的這一些條件，大致是我近來纔決定的。一半由於我的科學的研究，一半也由於事實的促成。我本來早想批評現在的一些關於藝術的書，但總因得到的反感太多，終於不能毅然實行。這樣態度，我以爲至少對我自己可以減少一些遺憾，這其實也便夠了。如有誠懇的反對論者時，請說出理由，我極願意接受。如我的論點無由成立，當即自行取消，把這件工作讓與我的反對論者，即取消較壞的批評而代之較好的批評。如某個作品的作者說我不明白他的作品時，我也願意聽他自己來述說。我以爲在這裏的都是工人，並無貴族，大家不妨以坦白的心相見。

3. 批評的材料

因爲上面所說的緣故，這個工作開始的兩篇文字是：一，從新青年到現在的時代色彩；二，中國的經濟的趨勢。這可以說是一種序論，自然偏而不備，但太多又不應該，所以關於這兩方面的較詳細的實情，便另在經濟學批評一書及別處去說的了。所批評的作品，現在也大概舉出幾種如下：——

女神	吶喊
超人	彷徨
沈淪	
三個叛逆的女性	飄渺的夢
落葉	荊棘
咖啡店之一夜	野草
雨天的書	心的探險

此外，則現在還沒有出版的書，暫不列入。另外有幾篇在定期刊物上散見的重要的文字，也想說到，如野草則已舉出。其他與藝術沒有關係的小說，散文乃至詩之類概不能入選。但也有幾本是比較次要的作品，將來批評與否，還說不定，如繁星等。再則，這裏所說的重要與次要，只是在批評的觀點上說，並不含有關於作品的意義。至於，我還沒有看到的作品，自然待看到時再說。

此項文字都只在狂飆週刊上發表。現在也說不定幾期可發表幾篇，一切都取決於我的時間的分配。原只

是一個開始，錯誤的地方自然很多，則只有待之讀者或
他日之自己的更正而已！

19, 10, 1926.

藝術與時代

1. 藝術的起源

從來藝術學者們都很注意於藝術的起源那一個研究,但都沒有得到完滿的結果。有些人說藝術起源於慾望,也有人說是起源於游戲,而馬克司派的學者又說藝術是起源於工作。他們的主張雖然不同,然而有一個相同點,便是:他們都不承認藝術是獨立存在的。

我們如不用實際的眼光去考察時,我們自然覺着這些不同的主張都有相當的理由。我們覺着藝術中似乎有慾望那麼個東西,我們覺着藝術不像勞動似的可以做出生產品來,而牠又有顯明的經濟的色彩。

我現在要丟開那個慾望說,而來考察一下那游戲說與工作說。我現在要問那些游戲說者:既然藝術是起源於游戲,為什麼所有的游戲不都變成藝術,而藝術發生之後又為什麼游戲還存在着呢?我又要問那些工作說者：性的生活也有顯明的經濟的色彩，那也可以說性的生活是起源於工作的嗎？這兩個問題，他們是回答不上來的。

我們中國向來有的是名士。名士者，玩世不恭之士人也。如其藝術是起源於遊戲時，那末，這些玩世不恭的人們倒正可以給我們遺留下不少的藝術品來，然而却沒有。我們看中國古代的文學作品也只有楚辭是藝術品，然而屈原却是一個沒有一點玩世氣味的人。遊戲時間多的是兒童，工作時間多的是成人，然而中國的兒童和成人都沒有給我們創作出藝術品。

我們如要丟開事實而回頭問一下"藝術是什麼"的時候，我們又覺着很難得到一個確切的答復了。因爲那個答復，如其合於近代的藝術時，牠總不合於古代的藝術，牠總不合於民間的藝術。然而藝術却是通古今中外而只是一件事。但是，我們如要丟開那種種的說法，而具體地給這個問題下一個解答時，那便很容易了。我們說，藝術便是，詩歌，音樂，繪畫，雕塑，小說，戲劇，跳舞之類。

這並不是一個沒有意義的解答，反之，我們正可以從這裏認識了什麼是真的藝術，而且什麼是真的藝術的起源。

比如，歌，舞兩事，不但是人類都有的行爲，而且我們很顯明地可以看見生物中的鳥類也有這樣行爲。在確切的意義上，我們不便於說獸類也能唱歌，然而舞蹈却是獸類所通同有的。再則植物也有類似舞蹈的活動，雖然我們也不便於叫牠做舞蹈。但是，這已經可以說明，藝術中的音樂，詩歌，跳舞，其實是從動物起便出現在世間的行爲了，而到了人類纔有了顯明的進化，而且人類又因時代的進化而顯明地去進化着。

繪畫，雕塑，在動物中也可以看見有相類似的動作只是離形成還較遠些。最顯然的是，這兩種藝術是不能離却手的動作的，所以直到人類纔具體建設起牠們來。其他，如音樂也是要伴着手的動作的，所以人類的音樂便比鳥類的歌唱進化多了。而形成的詩歌，又是要伴着言語的，所以人類的詩歌也不同於鳥的單純的歌唱。

人類的行爲所以能夠豐富者，手與言語的發現是關係極大的，而且也可以說是惟一的原因。藝術也是如此的。我們在動物中看不見小說，因爲小說完全是言語的產物，而動物沒有言語。到了原始人類，有了言語，便有原始的小說卽神話的出現了。

而戲劇則是一個綜合的藝術，牠隨着各種藝術的進化而進化着。

2. 藝術是人類的行爲

我們在各種生活不同的人類中可以看見各種不同的藝術。民間文學有民間的經濟的和性的色彩，原始文學有原始的經濟的和性的色彩，中國的士人文學有士人的經濟的和性的色彩，外國的各時代各階級的人類文學有各時代各階級的經濟的和性的色彩。然而這只是證明藝術是有經濟的和性的色彩的，而不是說藝術便是經濟或性。

現在有一部分勞動家勞動的時候，也仍然唱着一種調子，那末，這一種唱究竟是工作呢，還是游戲呢?妓女也給嫖客唱曲子，這唱又是工作呢，還是游戲呢? 學校裏的唱歌，兒童的踴躍，乃至所謂苦悶的象徵的藝術家的制作，究竟是工作呢，還是游戲呢?不，都不是的，藝術是人類的行爲之一，牠正同經濟的，性的行爲之爲人類的行爲之一是一樣。

當一個人的經濟的生活滿足的時候，他可以唱出快樂的調子，當一個人的經濟的生活不滿足的時候，他便唱出悲哀的調子。當一個人的性的生活正在上升的時候，他會寫出美的頌歌。當一個人的性的生活下降的時候，他會寫出惡之花的警句。這些都是經濟的和性的色彩之附隸於藝術者，而且還可以說在這裏經濟和性便是藝術之所由而產生者。然而，藝術却並不便是經濟或性。

當一個藝術家為人類而奮鬥而感到失敗的悲哀而猶奮鬥到底的時候，他便寫出偉大的悲劇來。當一個藝術家樂觀未來的人類的生活時，他寫出華美的理想的小說。一件藝術品中可以有經濟的色彩而同時又有性的色彩，那末，藝術又如何能認為純然的經濟的產物呢？一首情詩能夠沒有經濟的色彩嗎？反之，有多少完全沒有性的色彩的所謂經濟的小說嗎？

3. 人類與個人

我們現在的人還很少明白人類和個人的分別。所以，如其我們說藝術是人類的行為時，則現在的那些寫詩或小說的個人都找到一個根據，說他的詩或小說是藝術了，然而這是不行的，因為藝術是人類的行為，但牠不是個人的行為。

本來所謂個人者，是一個空想，實際上是沒有那麼個切定的東西的。那一個個人能特別由上帝的手創造出來，不與自然發生關係，不與其他個人發生關係的呢？沒有吃別一個女人的乳而生活下來的孩子，世間有嗎？

—— 73 ——

有不同其他個人談話，幫助其他個人，或受其他個人的幫助而能獨善其身的人嗎？如其沒有其他個人，只剩一個個人，他能不能仍然存在？否則，個人又是什麼呢？

我們研究藝術時，我們知道這是人類的行爲了，因此我們也便要拋棄了那個個人的空想，而去研究人類的藝術。某一個個人，在藝術的研究上，正如某一隻鳥兒之在生物學的研究上，科學是不爲某一個單純的個體盡其獨特的義務的。

4. 什麼是好的藝術？

好壞在科學上是沒有意義的。但是在我們的語言上，這仍是極通行的一種用語。這個，我們是叫牠主觀的評判的，老子的道德經，康德的純理評判，同戲園裏的"好！"或"咄！"，都同樣是主觀的評判。藝術批評上的價值派或印象派，乃至托爾斯泰的人類觀之藝術論，都同樣是離不開好壞的主觀的評判。我們暫且也把這種批評借用一下，看看什麼是好的藝術。

李白的詩何以是當時最好的詩呢？李白的時代是君主的時代，當時的貴族便是藝術的賞鑑家同批評家。李白的詩被皇上和皇后所喜歡，而且又被封爲翰林院大學士。那個事實便是說李白的詩是那個時代的代表作品，而被時代稱他做桂冠詩人的。在君主時代的貴族，皇帝之下自然是大臣了，所以賀之章也代表贊揚李白的詩，而且稱他做謫仙人。謫仙人有兩種意義：一種是有羅曼風的詩人，一種是不得志的士人。

所以所謂好的藝術者，便是說那是時代的產物而爲時代所需要的藝術。然因此，我們也正可丟開了好壞的評判而用時代去說明藝術了。

5. 時代與藝術

時代有時候進步得很快，有時候進步得很慢，藝術也是這樣。歐洲中世紀便是進步很慢的，實業革命而後，便進步得很快了。中國從戰國而後直到新青年時代，進步是很慢的，但從新青年時代起，進步便很快了。在藝術上也是如此。前有離騷，後有女神，吶喊，在藝術史上看來，正像是相離不遠的作品，然而在實際上卻正是中經二千年的長時間的距離呢。

中國近代的文人們大抵都尊崇杜甫，異視李白，而漠視屈原，因爲杜甫的純然丞相風度的詩，正是那時所需要的。但到新青年時代，杜甫便一落千丈，而李白抬頭，而屈原便被公認爲古代惟一的詩人了。爲什麽屈原合適於新青年時代呢？因爲離騷是戰國時楚國的國民文學，新青年時代的文學又正是帝國主義侵略下的中國的國民文學。

什麼樣式的時代便產生什麼樣式的藝術，當時代沒有進步的時候，藝術也便沒有進步。

6. 時代如何劃分?

所謂時代者，不是書籍記載上的歷史，而是實際生活上的歷史。時代是屬於自然的，而記載是屬於人爲的。人可說謊，而自然不說謊。是人被時代支配，而不是時代被人支配。自然是邏輯的，而人類則有時發昏。

何以從戰國到新青年時代，中國的藝術沒有進步呢?因爲這中間沒有很大的經濟的變化。何以歐洲從實業革命而後，藝術有很快的進步呢?因爲經濟生活有了根本的變化。什麼是戰國時代呢?那便是封建的經濟生活破滅而入於中產階級自由競爭的時代。什麼是新青年時代呢? 那便是中國的手工業的經濟生活遇了國外的機械工業的經濟生活而陷於危難的時代。藝術是時代的產物，在戰國時代產生了離騷，在新青年時代產生了相反而實相同的現實的吶喊與羅曼的女神。

當經濟的生活起了大的變動的時候，一個新的時代便出現了，一個新的時代出現的時候，新的藝術於是而產生。

7. 藝術的水平線

由經濟生活的變動而劃分出新的時代而產生新的藝術。既然是一種變動，所以牠的表面是很紊亂的。在這一個時代的人類雖然都在被這種變動紊亂着，然因某一部分人同別一部分人的經濟生活的差異而對於這種變動起了不同的反應，這在藝術上也便有了差別。過着溫煖的生活的人，做着溫煖的夢。但這已不是時代所需要的東西了。水平線上的藝術，是真切地，而且代表地，接受到那個時代的生活的變動的刺激而起反應的藝術。這便是說，在一個紊亂的時代中有一個並不紊亂的姿勢，這個姿勢便是那紊亂的時代不紊亂的變動了去的。水平線上的藝術便是那代表這個姿勢的藝術。到什麼藝術不能夠代表這個姿勢的時候，便變成了舊的藝術，而又產生了能夠代表這個姿勢的新的藝術而形成藝術上的進化。

8. 原始文學與民間文學

原始文學是原始的人類的文學，也便是水平線上的文學。原始文學大抵是由實際而向空想的，所以我們後來便叫牠做神話或傳說了，其實這也只是一種主觀的評判。原始文學同兒童文學實際上是有共同性質的。

到了民間文學，人類經濟的生活已顯然分出階級，所以經濟的色彩便很濃厚。從古代的民間文學國風中便可以看得出來。民間文學是代表那個時代的姿勢的文學，牠也是水平線上的文學。

當沒有專門的文學家出現之前，文學是水平線上的文學，因爲那純然是人類的藝術的行爲。到了那些專家們出來以後，於是文學變成了某一部分人的職業，於是離藝術也便很遠了。

當我們看民間文學的時候，我們不知道誰是牠們的作者，牠們的作者是人類。到我們看古典文學的時候，我們看見不少的作家，然而藝術作品却很少得見了。

眞正的文學，是直接由原始文學同民間文學而來的。我們在楚辭中也可以看見同樣的所謂神話與傳說。在實際生活上也已證明楚辭是代表戰國時代姿勢的藝術。離騷不是屈原那個小個人的產物，而是代表了那個時代，不只是楚國，而是代表了戰國的人類的藝術的行爲。離騷的絕滅便是預言了戰國的絕滅，而是戰國時代惟一的藝術作品，在中國的藝術史上獨立地佔據了一個時代的作品。

眞正的文學是原始的，而且也是民間的。我們看國風與楚辭，我們正像看見了昨天。

從秦漢到明清，實際上只是一個黑暗時代，是一個爭王時代。而且文學專家也養成了。也都得志或不得志地陷入黑暗的漩渦，所以這一個時代的那些作家的眞正的藝術作品，我們只能看見一些仿民間文學或準民間文學而已。

— 79 —

科學與時代

當我在發表一些零星的科學的意見之前，我預感到一種困難：這些將要被誤解了。大抵什麼事都常是這樣，空談的時候覺得很容易，但一到實行起來，種種困難便都來了。便是本來在空談上贊成什麼的人，到有人實行起來，他也會變成反對者，事例極多，無須列舉。但我現在也不妨舉幾個關於我自己的例。即如我的批評，在我未實行以前，有幾個朋友是贊成我的批評的，但到我略經實行之後，他們的態度便不免變了，因爲知道有困難，所以越要奮勇地做去，但又有思想上的朋友因思想上的不同而幾至誤會爲我的文字都是爲他們一二人而發的了。從前對狂飆抱好感的人，也有用相反的眼光來看的了。這些委實是無可如何的事。

歷史是過去的，常識是一時的，而科學却是比較永久的。所以科學同歷史，常識時常是衝突的，這是沒有法子的事。在經濟學上看近代的世界史，正是一個時代，從英國發明機器而形成工業革命之後，到法國大革命，到普魯士統一，歐洲大戰爭，到俄國無產階級革命，別一方面到印度滅亡與復興運動，到日本崛起，到中國辛亥革命及現在的國民革命，正是一個時代。這個時代，我叫牠做機械戰勝時代。這個時代也是科學戰勝時代，這是我的朋友德桀的觀察，他想寫一本科學戰勝史，我希望這書早日出現。這種意見，用在歷史上的時候，是不難有很多贊成的人的。但一用到實際生活上，這便因種種事實上的阻礙，利害上的衝突，而幾乎成爲一些胡說白道了。

我們如要平心靜氣地翻出近代的世界文學，從羅曼主義到表現主義，從俄國的普希金到勃拉克，從中國的"女神之再生"到"頹敗線的顫動"到現在的文藝，我們將隨處都可以看出這個時代的眞象同牠的逐漸的進步。我想，如從這個立脚點上寫一部近代世界文學史時，那是會被不少人稱爲是一部重要著作的。但把這個用到對於目前中國文學的批評時，則這又成爲毀滅某人的生命的謗書了。

當常識及或然的歷史流行於國民思想中的時候，科學將要遇到敵視，雖然科學能夠給與這常識，這歷史，乃至這敵視以一種實際的合理的說明。科學能夠說明實際，然而牠又是同實際衝突的，因爲實際這一個東西是大同小異的，科學見其大同，所以同實際的小異發生了衝突。

爲解救一部分的困難，我只得再拿出時代這一個東西來了，但這個時代，已不是科學上的那一個時代，而是常識上及或然的歷史上的那一些時代了。這些時代或者叫牠做時期較爲合適。什麽是時期呢？即如，文學史上的羅曼主義時期，自然主義時期，象徵主義時期等。在經濟的政治史上，即如法國大革命時期，歐戰時期，俄國無產階級革命時期，中國國民革命時期。

本來所謂主義者，所謂革命者，這是屬於人的，而不是直接屬於自然的，是屬於歷史的，而不是屬於科學的。科學是直接屬於自然的，是超於主義，革命，歷史之類的。所以進化論可以破除宗教的迷信，資本論可以破除政治，思想的迷信，相對論可以破壞玄學式的武斷。

我們幸喜還沒有看見科學失敗史，所以我們不妨假定此後的科學還是不會失敗的。我們在歐洲的科學史上也看見過一些黑暗事件，但現在的人類畢竟是進化了，歷史上的活劇正不必一一都復演過一次。但縮圖地又仍將復演着歷史，中國已在且將在復演近代歐洲的歷史了，這便成爲所謂時期者。

我的朋友德榮曾說吳稚暉是一部百科全書，我覺得這話非常有意義。科學的態度，人道的思想，文學的文字，平民的精神，正像啓發過十八世紀至十九世紀的大陸藝術界，思想界，及十九世紀北歐思想界的那個"百科全書派。"歌德，克魯泡特金，法郎士，勃蘭特斯，都是相當地受到過百科全書派的感興的人。當我近來重讀女神的時候，我讀那篇"女神之再生"正如復讀被歌德讀爲崇高的頌歌的那篇"春祭頌歌。"而且我們這時代也有類似服爾德的思想家，也有類似盧梭的思想家。

中國將要把近代世界史縮圖地復演過，這便是一種混亂的原因，但也是一種進化的現象，這樣如能在科學上，藝術上，思想上分工合作時，將會完成一種中國的偉大的新文化，同時也便是世界的偉大的新文化，十九世紀的俄國曾因這樣而得到最後的勝利，二十世紀的中國同印度又在繼續着更進一步的工作了。但是，將中國同俄國或同印度比較，還不很恰合，中國在地理上是東方的歐羅巴，而不是寒帶上的俄國或熱帶上的印度。所以在現在的中國，我覺着又有抱一種寬大的態度的必要了。

因爲這些緣故，黨派的分別便成爲當然的現象，而且也是不好的現象了。但黨派，如在文學上的，結果却是兩敗俱傷，那一派都做不成統一的夢，所以自然的律例仍然是邏輯的，公平的，而無須乎人之憂慮的了。在政治上的，近幾年北方軍閥的競爭結果，也是如此。將來中國政治上有沒有某種統一的時期，現在還不可知，也許是要有的，但也只是一個時期而已。我雖然是對政治抱不合作態度的人，但我以爲如其有人便應用這寬大的"時期"的態度去從事政治工作，倒是最好的態度。

中國大致仍然在經濟上的農業時代，而外面受到帝國主義的工業時代的侵略，又受到無產階級的鬥爭的風濤，這三種勢力的衝突，可以說明各方面的現象。農業式的個人主義，在近年也是很流行的。但牠將來，至少在藝術上，在思想上是不會有的，將被時代所淘汰的了。思想上，藝術上新舊的衝突，在近代的世界史上是時常有的，然而牽引到個人的人格問題的却不多見。但在中國却直到現在還是很流行的事實。然而這也只流行在一些舊派的人們中間，也許他們也將拋棄那種態度了。現在的青年新刊物，已不多有那樣色彩，而純然地從事藝術，科學的工作去了。

把那些過去的什麼劃分出一個時代來，而相當地給牠以時代的價值，這是我近來對於藝術與思想的批評所抱的態度，但是舊時代也須寬大地允許我們去從事新時代的工作。這些本來是歷史家的工作;我們從事新的建設的人,如以外國爲例,則正需要破壞那些舊的。但中國畢竟還是中國,所以便不能那樣,而須來兼做歷史的工作了。

中國畢竟還是中國,所以我們否定那一類思想,那一類作品,有時便引起實際上的敵意,用手段來破壞我們的工作,用暗示來挑撥別人的反感,我們不但不願意在新時代上也傳染上這種氣息,而且我們也不願意眼看着舊時代之臨去而添一尾巴。舊時代是給過新時代以這些貢獻的,我們不應用進化論,而應用"相對論"也給牠以相當的報酬。況且所謂時代的新舊者,完全是由藝術與思想的本身而劃分的,並不牽涉及任何個人,而任何個人又都有出入於新舊時代的自由呢?

我們的新時代是怎樣一個新時代呢?這在事實上的趨勢是:我們純然用人類的態度去建設中國的新文化同時也是世界的新文化,我們將集合地,或單獨地,批評地,互助地,而絕對非黨同伐異地,去建設新的科學,新的藝術,新的思想。

下　篇

死 的 舞 曲

從東風吹來的，
這些無根的雲，
我仍當付與東風吹去，
一任你化作煙塵。

誰是我？
遺世已久，
我待問那個？
天海外能否有濤語告我？

一粒的微塵呵，
一縷的輕煙，
爲什麽這樣的滔滔呵，
不語而聲喧？

—— 87 ——

何者爲天地?
無處覓人間!
我從圻墓歸來時,
我纔仍住在圻墓的中央!

密密的陰松呵,
你所有的無名者呵!
你光的影呵,
一切破滅與絕化呵!

我從何處來?
我到何處去,
淆亂的自轉呵,
是否我在轉着你?

昨日的蜚語呵,
今日可正射中了我身,
我呵我呵,
你去滾去滾!

星星失墜在汚水的池邊,

汚水已隱而不見，
從那里却有銀幕開啓，
說道："這里有青天!"

讓相信者相信去呵，
天使將要從天外飛來，
但魔鬼也在那裏招手道：
聽"明的朋友呵，讓我們一同去來!"

但我却什麽也沒有看見，
我從有始呵直看到無終，
但我却什麽也沒有看見，
我看過昨日呵我看過而今。

你懦怯者呵，
請你忘掉了你的勇敢!
但那永久的幻滅呵，
他却是我的永久的侶伴!

幻滅的幻滅呵!
我自己被殺嗎?

—— 89 ——

四足者的誇耀呵，
如有人被踏在你的鐵蹄之下！

但是我呵，我是祖宗，
我也是你的遠代的子孫，
我是你的朋友呵，
我也是你的敵人！

但是我呵，我不是你，
因爲我不知道我是什麼，
雖然我不敢愛也不敢憎了，
我怕要踏在你的鐵蹄之下。

我不認識上帝，
我也不認識魔鬼，
雖然魔鬼時常在叫我，
上帝且將判決我的死罪！

但是我的罪惡呵，
牠們是那樣大又那樣多，
我自己已把牠們陳列在那里，

但是，我的審判者他豈暇細細看過。

我自己被殺嗎?
城根下倒斃着我的屍身，
路人過去時都踢一脚道:
“這便是某人!”

但是某人早巳死了，
這里却只是一具死屍，
如其他還是某人時，
爲什麽沒有一個生人抱着他流淚?

那樣的衰草呵，
那樣的淒迷，
那樣的兇暴呵，
他纔只殺掉他自己。

他殺掉他自己，
他纔遺棄了別人，
所以他沒有做成仁慈的上帝，
他反受了上帝的欺凌!

—— 91 ——

然而，什麼是上帝呵，
你天外的毒鳥！
請停止了你的死之頌呵，
我寧願投入四足者的懷抱！

"我親愛的朋友呵！"
只有你，我纔敢這樣叫，
你不知道憎也不知道愛，
所以我終於變成你跑了。

是自由地跑了，
還是從監獄的脫逃，
還是被摔倒在赤地，
只剩的遊離者在白雲中長號？

單純的鐘聲，
起自中夜，
超絕的音樂呵，
你惟一的歌者！

幽靈能否把過去來遺忘，
死亡能否把罪孽來赦免？
爲什麽在無地行乞的我呵，
却帶着這麽多不幸的遺產！

悲哀呵，請停止了你的繁複的噪音！
我已無心了呵，你還唱給誰聽？
一一一一一呵，
行行行行行！

聽着一一的鐘聲，
我却又想起了飛逝的幻夢，
無上的煙雲呵，
與無上的批評！

還有那無上的我的自省，
我只在把捉那無上的行踪
所有却都被輕忽了，
所有的罪孽呵，我纔一無記審。

但是，你們天之子呵！

誰是敢於矜誇者呢?
你們正住在幻夢的下層,
矜誇呵什麽是你們自己?

忽然我沈入深淵,
跫脚者在水上行轉,
忽然我從淵底驚叫,
遊行者却都不曾聽見。

魍魎之翼呵,
撲朔者是你嗎?
我在何處,
我在毒龍的行宮嗎?

什麽是天,
什麽是地?
什麽是夢呵,
什麽又是人世?

"誰是清醒者呵,
請伸出你的清醒的手!"

但我們醜惡者呵，
我又在發出醜惡的要求。

沈淪呵，沈淪下也許會遇見絕頂，
況且這只不過一個噩夢，
管什麼升呵管牠什麼沈，
升沈原都是虛無的幻景。

但是，那微細的波動呵，
又只在擊拍着我心。
但是什麼是我心呵，
我所有的呵只這個昏暈。

從絕頂掉下了我的游踪，
我罔自把什麼來追尋，
我只追尋到那一片昏暈的絕地，
我並且遺失了我固有的昏暈。

當我想到那一朵花時，
花的純潔呵已被我汚辱，
當我臥看行雲時，

—— 95 ——

行雲中響出了悲憤的責斥。

我當活着時，
偏這個活呵牠正是罪惡，
到我死了時，
死呵又原是一個刑罰。

"你喝一杯冷酒呵！"
但我已沈醉了呵！
但這是如何和祥的照拂呵！
但我已沈醉了呵！

我不再需要希求，
我已希求過宇宙的所有，
我所收受的贈禮呵，
我所預備的報酬。

但我不將再酬報了，
因爲我已不需要外來的酬報，
一切的一切呵，
都隨着昏暈倒了！

讓你的皮肉呵受你的苦刑，
讓你的行爲呵執行你的命運，
我已無所有了，
先前的自己呵，你而今也只是一個外人。

脚踏下我怕聽喧聲，
靈巧的脚牠踏着我的夢境，
無意的靈巧呵，
牠纔顯示我以無限的兇橫。

我曾以愛眼呵遙望過恆山，
西湖畔我曾培植過新的希望，
但都被東風吹去了，
除了唯一永存的我的罪愆！

綏遠的狂飆呵！
請你赦免了你的俘虜！
雖然是不馴了呵，
但我已招承了我的罪尤。

—— 97 ——

什麽是罪尤呢?
我是壟斷了太多的愛,
在我外的一切呵,
我太把你們當我來相待!

夢中我自己踏上了虎口,
無知的脚呵,你們太兒戲了!
夢中我看見神鷹的翅膀,
掉下時我仍僵臥在牀上。

世界是這樣多變,
我再辨不出該走的方向,
從入夢我走到夢裏,
一千次的死滅呵,一千次的生還。

你們都太兒戲了呵!
但我如何能捨棄了你們?
當我別離了太平洋的浪花時,
柏林的工廠呵,又建立在我的眼中。

我不怕炎熱,

冬天我只在追逐着嚴冰，
我不曾吝惜我一滴的汗汁，
我願做奴隸呵，但誰是仁慈的主人？

我曾創造了上帝，
我又曾毀滅了上帝，
但我如何能毀滅了你們，
我甯可毀滅了自己！

巖石呵，你威嚴者呵！
你威嚴的蚊蠅呵！
你高貴的伴侶呵，
你威嚴者呵！

你霜下的野草呵，
你威嚴者呵！
但當我偃臥在霜下時，
輕薄地微笑了，你威嚴者呵！

烏黑的眼睛，
從斜側飛起，

— 99 —

你含毒的精靈呵，
將投向那里？

在我的衰老的乳頭上，
存留着嬰年的鮮血，
你睨而過者請轉回來呵，
吸去呵請飽餐地吸去！

但一去者纔不復返了！
是我自己的過錯，
我該埋怨誰呢，
除了那個該死的我！

不可卽的睡眠呵，
請贈我你的一息的顧盼，
安息者都已安息了，
困倦者却終於困倦！

誰是忠誠者呢，
連你都這樣狡詐？
我不願再受驚悸了，

我甯可獨醒終夜！

我仰望着天空，
天空牠只有一顆星星！
我俯瞰着天井，
天井我怕聽人的聲音！

於是冥冥者走過去了，
我身傍牠留下一股冷風，
於是冥冥者也不復返了，
我只可自己來做我的冥冥。

你獨醒的星星阿，
請你先我遐逝呵，
遐逝的影將隨在你的身後，
在那里你還會看見你的軀體呵！

聾於耳者亦復啞於口，
星星緘視而封步，
幻滅者於是都幻滅了，
我看見了完全的黑夜。

——101——

在那里我曾建築了一座高塔，
我等候人人攀登，
但捷足者第一個來了，
他拆散我的臺階，並搗毁了我的塔頂。

在塔的荒坵上，
他並且留下一座石碑：
"這是一座妖塔呵，
登臨者都倒斃在塔裏!"

我沈默在荒坵下，
我再思而再想，
我將何所思呵，
我將何所想!

我望着我的勇士去了，
我已沒有一滴的眼淚，
我望着我的一塊寶石，
藏在那個偷兒的袖裏。

我想建築一座妖塔，
在那石碑的後面，
我刻上新的字跡：
"求福者請上請上！"

但我已沒有一滴的污血了。
正如我沒有一滴的眼淚，
我望着我的勇士去了，
我如何能取償於懦弱的兄弟？

但我終於太迷惑了，
我不願再想呵再思，
我自己還不知道在那裏，
在那里還會有我的兄弟？

我望着我的遠行者，
拜東風而寄語：
"我這里還有一千塊寶石，
回來呵請你一同帶去！"

我愛過我的寶石，

— 103 —

我也愛過我的母親，
但她是一個夫人呵，
所以她也是一個敵人！

我也愛過我的女人，
我曾經做過她的母親，
她比我是更下等的奴隸呵，
但她却有那奴隸的靈魂！

更有一些卑鄙的士人，
他們的驕傲呵，他們是畜生！
但我也把他們來愛了，
我自己纔反被變成了畜生！

武士他也會倒臥在戰場，
孤星他也會遙掛在天上，
但是兵器與勇敢他們都去了，
只剩着屍首他倒臥在戰場。

但是，我並不是一個武士，
我也沒有過什麼兵器，

我是一個無蹤的遊魂呵，
我從無終呵在走向無始。

什麼是生死呢，
誰能夠取舍我呵?
什麼是我呢，
誰能夠知道我呵?

雖然我的塔牠可以倒掉，
雖然我也可以在我的塔下倒掉，
但是，什麼是我呵，
誰却能夠知道?

於是，遠去者將要慌亂了，
我將要遙展開我的鎮靜的望眼，
一切都將要慌亂了，
我將要鎮靜在最下的下面。

當那神定的時間來到時，
我將要走出了我的墓地，

—105—

請聽取兇獸的驚鳴呵，
牠叫道："我來救你！"

從 民 間 來

1

我們不來自書房，
我們生長在民間，
我們回到民間去，
田莊與工廠，自然的雙生子。
上帝夭殤在天堂，
我們去做新上帝。

我們去吃救世苦，
我們去喝續命湯，
綿羊生了一隻角，
人說麒麟兆瑞祥，
從工廠跨到實驗室，
搬運自然到人間。

—— 107 ——

2

我從石洞中走出，
像雛雉走出了卵殼。
唉，放開喉嚨唱呵！

比酋長更為野蠻，
石洞是狠的窟宅，
而且更頑固更為死滅，
鬼塚是我的家室。

但是光輝而雄壯呵，
金色的大道給我展開，
有天體，有日星，
有銀浪滾滾的大海。

唉，放開喉嚨唱呵！
自然賜給我一支不息的鳴琴：
在北為狂飆，
在南為熱風，
夏日為流泉，

冬夜爲沈靜。

拋別了我的母親，
離棄了我的女人：
母親是偉大的歷史，
女人是永久的愛情。

母親說：
過去偉大，
而未來更偉大，
親愛的孩兒呵去吧！

女人牽住了我的衣襟，
她泣訴着像林浪上的波音：
愛情是我的墳墓，
世界是你的家庭。

明日個我便回程，
我仍是丈夫與兒童：
我忍着淚安慰她們。

——109——

太陽高千仞，
雪霏霏，雨淋淋，
昏夜我徒行。

唉，苦悶的人兒一個！
水少風浪多！

我挑着草標兒賣叫：
草標兒是一苗仙草！

餓者醉顏酡，
在泥塗靜臥。

"我給你一隻指頭！"
他變成個富人行吟着去了。

"風信花兒開，
土香花兒開，
春夏秋冬一齊來，
好個美滿的世界！"

歌音落草上，
草底出巨蟒，
人立而獸看。

唉，我的膽量大如天！
朋友呵，請你復原！

唉，我是孺子與老人。
朋友呵，讓我們殊途而同行！
鴟鴞宿巖下，
鳳凰棲梧桐，
火山埋地底，
赤日照當空。

答 仲 平

我有千枝箭，
太牢未曾放，
夕照沒雷峯，
梅枝冷孤山。

我有穿楊箭，
一明與一暗，
一明射夜心，
一暗射鬼眼。

我有雕翎箭，
一鴛又一鴦，
一鴛射愛神，
一鴦落馬前。

——113——

西北望原野，
東南聽海濤，
我今想起你，
原野與海濤。

未至汾陽站，
却飲汾陽酒，
紫花山上日，
長美店前雨。

送友上海灘，
含淚別西湖，
西湖小家女，
上海風波起。

我困重圍中，
一箭五千人，
詩人而歌者，
爲我奏凱音！

附 仲 平 贈

長美店前雨，
紫花山上日；
長虹你張弓，
鋼箭落那裏？

——離汾陽一站，在店門前口吟。

我已踏上了這浪跡的高地，
似乎好久了——不得你一個消息；
對於你，本無須乎憂慮。
也有好久了——我想重見那——
　　長美店前雨，
　　紫花山上日。

仲　平。

—116—

貓 眼 睛

唉唉，功成無名，
自然之子，
時間之神呵！

老 時 代

老時代
睜着驚疑的眼，
監視着我們。
唉唉，頹敗線的顫動呵！

稚雲臥重峰，
唉唉，息息與生生。

——120——

冬　夜

1

最後的個人，
請你死亡，
在我生將逝之前，
披着那人類的罪惡的古裝，
隨我入葬。

那有蠶兒不吐繭，
吐繭是蠶兒自己遭魔難，
雪絲繡金蟾，
身死餘哀在，
少女佩胸前。

青是山，
綠是水，

——121——

花花世界，
桑田埋朽骨，
人影月中來。

2

我所希望的，
不是利用與幫忙，
不是嘲笑與贊揚，
只是些林立的工廠，
削平了割據的人間。

我曾創造過一個活時代，
在我的夢中好安排，
而今牠何在？
勝景留不住，
青春葬塵埃。

我不歡喜與悲哀，
世事都應該，
我不愛他不自愛，
過去的還牠過去，

未來的還牠未來。

人間本自多酋長，
我是酋長中之王，
大家都死乾，
剩下好世界，
留與衆兒郎。

3

唉，這個待我說出的，
牠是什麼？
牠是個充滿的空虛，
還是個頌祝的咒罵？

哦，爲什麼呵，我，我——
我只在想念着自己，
我本是一個無生的苦鬼，
我那有什麼可想念的來世？

雖然他們在呵，在呵——
在毒視着我身

—— 123 ——

不怕暗箭我也不怕明刃，
因為那個我呵，他們也無處找尋。

昨夜呵，昨夜呵，
飛落了一顆流星，
今夜呵，今夜呵，
猶自星滿天空。

積雪埋蓋了我家的庭院，
今早我猶在雪上行轉，
雖然你可以問我家在何處，
詩歌原只是個最大的欺謊。

人世呵，人世呵，從來不平，
平時還要我們做甚？
冬天呵，冬天呵，而今更淒冷，
我的火兒呵，火兒呵，難道你已盡成灰燼？

詩人的啓事

我走進一個小房間，
我是遊手好閒人，
但這裏是我的家鄉。

懷疑，苦悶與傷心，
都成爲歷史的遺恨，
因爲這裏同在的是我的弟兄。

他們看我是一個人，
他們不以爲我可笑，
所以他們是我的弟兄。

我枉自來在北京，
沒有到景山頂上眺望，
也沒有書房裏參拜古人。

我始終有一副心情，
眷念着人類的痛苦，
忘記了自己的安甯。

可是，我却常給人以創痛，
創痛回頭又傷我心，
比如現在呢，也許債主又臨門。

也許人只該小康，
可惜我祖上沒有遺產，
自己又沒有假面。

唉，假面！我要了一碗板刀麵，
我想上澆雪裏紅，
而且，雪裏紅也不是一個壯觀。

勞動者愛自己的生產，
給牠以好聽的名兒，
名兒下藏着辛酸。

昨日我的朋友來信閒談，
他想收藏起他的詩篇，
因爲一個朋友把他冷淡。

果然昨夜冷清清，
鄰院裏又送來牠的鐘音，
可是鐘音裏却夾雜着鼓聲。

法律和謠詠同宗，
傳說也常把眞實欺蒙，
我的眞實，我永遠收藏在心中。

可是心，牠也常把我欺騙，
牠是一個多變的自然，
不是一個死寂的偶像。

在上海，牠投降了戰爭，
在西湖，牠做着和平夢，
現在呢，牠正在向你訴訟。

我說過我沒有個性，

——127——

一切都在變動，
人是變動中的一片電影。

我如何又能保存那表面的本眞？
假如這只是你定的標準，
不依從，唉，我便該受怨憎！

假如世界有兩個小房間，
科學與藝術，
勞動者住在中間。

其餘的便都是古人的閒話，
你聽不聽在由你，
我自己是不願聽牠。

用別人的閒話解釋我的語言，
用別人的傳說判定我的罪狀，
再加上，唉，"這是應當！"

我自己是一個苦人，
我奉還輕薄的嘲笑，

我甯願受瘟臭的嫉恨。

可是而今，連瘟臭我也已忘記，
我也不願學愛鄰如己，
因爲人類的生命是一個不可分離的整體。

願你反問你自己的心頭，
可有什麼界限在中存留，
如有時，那倒是你自己的罪尤。

黑暗啊，黑暗重重，
我們都在重圍中，
對面看不出眞面孔。

我們便相互來碰頭，
你說我住在象牙之塔，
他說我走到十字街頭。

其實，我只看見過象牙箸，
十字街是四馬路，
景山是帝王的古邱。

——129——

或許，或許，唉，莫須有，
或許你做着大盜夢，
所以我抓你當扒手。

眞的是，各人走着各人的路，
大家又走着大家的路，
路人也便是朋友。

某個朋友已死亡，
是牠自作自遭殃，
死而無怨。

殺人者我也，
我自作自承擔，
願聽受天下人審判。

而且，只要有人說，
這人死得也可憐，
我也便死而無怨。

—— 130 ——

或許我現在已死了，
死了或許比活着好，
我望着屍首作憨笑。

咄！我已死了！
死在舞蹈！
死的美在把我擁抱！

祝福呵，眼淚從此不再流！
祝福呵，痛苦留給後人受！
祝福呵，我生前愛過的朋友！

事過境遷，
我又躺在自己的牀上，
我已一天了沒有敢回轉。

這是我眞實的供狀：
自己的窮苦，
常使別人的窮苦受株連。

巴黎的朋友有信還，

他窮得要搬地方，
又希望，萬一呢，我給他寄錢。

我只剩有窮途淚，
我願把眼淚寄巴黎，
或許眼淚去時我已去。

近日我又作出國夢，
祖國不讓我居停，
別後相思再歸甯。

近日我把世界看得太分明，
這苦悶更甚於從前的苦惱，
一切都是由自然鑄定。

我是人中的一人，
十指連心，
指痛心也痛。

心痛時人便說我害了病，
但他不給我請一個醫生，

說時却充滿嘲笑的氣分。

好像在說：
病人只應該死亡，
無聊的科學眞討厭。

科學也眞是太無情，
古來許多不治的病，
而今都着手成春。

我自己是科學的本身，
我或將永久心痛，
但我將不死於心痛。

我或將永久作淸醒的夢，
願把夢永久作在民間，
不願一次作在景山頂。

誠然，我的夢多於我的想，
可是，我沒有一次曾夢景山，
雖然我也時常夢冰洋。

——133——

北方是北冰洋，
南方是南冰洋，
自爱的人們幽囚於其間。

而且，沒有人能把他們解放，
除非自己去解放，
也有幽囚者自以爲已解放。

或者解放應該翻譯作沉淪，
有人沉淪在紳士家，
有人沉淪在藝術宮。

有人沉淪在陀螺裏，
有人沉淪在吶喊中，
都在做着沉淪夢。

有人在夢古中國，
有人在夢古西洋，
也有人夢入俄國翻新花樣。

沈鐘產生在末節年，
哈普德曼已衰殘，
新德國現有安斯坦。

在中國，我願"捧"沈鐘，
只因時間未應允，
輕嘲，毒罵，苦窮破壞了我的工程。

我愛讀瑪至，
也愛讀羅西，
那怕羅西也來登啓事。

或許哈普德曼也來登啓事，
說他不認識中國人，
借名的不涉本人。

愛歌德，我也愛倍多文，
可惜他們都死去，
不能再說了，唉："我不認識長虹！"

或許我是釋迦牟尼再生，

——135——

唉，舍利子，我也不願同他比並，
謙恭些，我是二十世紀人類的靈魂。

過去的文化我已全吸飲，
現在的，我也已草創成，
完美的建築嗎，我總沒有那樣心情。

鏡的自白

一個活的人臉，
橫陳在鏡的前面，
侵入了鏡的心間。

讓你聽鏡的述說，
牠將表白牠自己和他人，
並願永受詛咒，如牠有半點野心。

臉是一個事物，
而分開了不同的部分，
不同的部分是一個事物。

不同的部分做出不同的姿態，
臉也將做出不同的姿態，
並且在不同的時間都做出不同的姿態。

—— 137 ——

眼是牠自己的鏡，
但看不見牠自己，
眼是牠自己的鏡。

耳朵自謂聰明，
但牠聽不見沈靜，
牠說:除牠外一切都在鼓般動。

頭是淸高的象徵，
牠採取了芳香供給牠自己的享用，
但芳香裏也夾雜着瘟臭的成分。

如其鼻頭是一個更好的嗅官，
牠也許將知道牠只是一個機關，
牠自己不能夠創造芳香。

頭髮披散在牠的周遭，
牠將永遠受嘲笑，
雖然頭髮也有牠自己的營造。

嘴唇牠也許不倦地閒談，
閒談中可否有眞理深藏，
嘴唇常把牠自己欺騙。

言語或也是蠻性的遺留，
何以牠不能說明牠自己，
却常招引來誤會與爭鬥？

可是，全個的臉却常保持着牠的和諧，
雖然和諧中也常夾雜着憤激與悲哀，
而且：和諧有時反把牠自己傷害。

其餘的，讓牙們去閒磕牙，
鏡已說完牠的心腹話，
並且啓事道："願人看過便忘了牠！"